# Pingpong Neu 1

## Lehrbuch

## Dein Deutschbuch

von Gabriele Kopp
und Konstanze Frölich

# Max Hueber Verlag

## Quellenverzeichnis

Seite  13: Interfoto, München (Daniel)
Seite  17: Bauerntheater Ismaning (A); Werner Bönzli, Reichertshausen (B);
Polizeipräsidium München, Presse- und Öffentlichkeitsarbeit, © P. Reichl (G)
Seite  23: MHV-Archiv (Ch. Regenfus)
Seite  28/29: Gabriele Kopp, München
Seite  35: Jenner Zimmermann, München (H)
Seite  61: rechts oben: Oliver Kralapp, Ismaning; links oben: Dorothe Heidhues, Bonn
Seite  67: Prospektmaterial
Seite  81: Peggy Kujawa (B)
Seite  90: MHV-Archiv (G.-J. Ortner)
Seite  96: Fotos rechts: Bildarchiv Preußischer Kulturbesitz, Berlin (2x); Archiv für
Kunst und Geschichte, Berlin; DIZ München, Süddeutscher Verlag,
Bilderdienst
Seite  119: B&G Bildagentur, Karlsruhe (1: F. Popp, 4: W. Allgöwer); Bavaria Bildagentur
Gauting (2: NASA, 3: After Image)
Seite  123: A: Tourismusverband Wien (Junge Szene © W. Gredler-Oxenbauer); B: Tourist-
Information Konstanz; C: Tourismusverband Rügen e.V.; D: Basel Tourism;
E: Landeshauptstadt Kiel, © Presseamt/Buchholz; F: Spielzeugmuseum Seiffen;
G: © Florian Hagena, München
Seite  129: Königsberger Klopse: Ketchum, München; alle anderen MHV-Archiv
(Ch. Regenfus)
Seite  137: Hotel zur Mühle, Ismaning (3)

Siegfried Büttner, Goch: Seite 17 (C, E, F, J), 19 (5x), 35 (A-G), 79 (4), 108, 119 (4 Porträts), 130,
137 (1+2).
Michael Kämpf, Berlin: Seite 3, 5, 7, 24 (rechts), 93.
Gerd Pfeiffer, München: Seite 4, 9, 17 (D+I), 19 (unten rechts); 45, 52 (D, E), 61 (links unten), 69,
81 (A, C, D, E, F).
MVH-Archiv (F. Specht): Seite 22, 24, 32, 40, 52 (A,, B, C, F), 61 (rechts Mitte), 75, 79 (1,2,3,5),
96 (alle Fotos links), 108

Mit freundlicher Genehmigung von Frau Charlotte Richter-Peill (Seite 25, 33, 43, 55, 66, 104,
117) und Frau Sylvia Heinlein (Seite 89, 126) durften wir die Lesetexte verwenden und bearbei-
ten.

Wir haben uns bemüht, alle Inhaber von Bild- und Textrechten ausfindig zu machen.
Sollten Rechteinhaber hier nicht aufgeführt sein, so wäre der Verlag für entsprechende
Hinweise dankbar.

Wir danken Manuela Georgiakaki für ihre Mitarbeit.

 Dieses Werk folgt der seit dem 1. August 1998 gültigen Rechtschreib-
reform. Ausnahmen bilden Texte, bei denen künstlerische, philologische
oder lizenzrechtliche Gründe einer Änderung entgegenstehen.

€  3.  2.          Die letzten Ziffern
2005  04  03  02  01    bezeichnen Zahl und Jahr des Druckes.
Alle Drucke dieser Auflage können, da unverändert,
nebeneinander benutzt werden.
1. Auflage
© 2001 Max Hueber Verlag, 85737 Ismaning
Illustrationen: Frauke Fährmann, Pöcking
Titelfoto: Gerd Pfeiffer, München
Druck und Bindung: Proost, Belgien
Printed in Belgium
ISBN 3-19-001654-2

# Inhalt

 Lesen    Texte hören und verstehen    Texte hören, lesen und sprechen    Schreiben   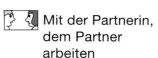 Mit der Partnerin, dem Partner arbeiten

# Themenkreis    Alltag und Schule

Verbkonjugation im Singular und Plural

Artikel im Nominativ – bestimmter, unbestimmter, Possessiv-, Negativartikel – Nomen im Plural

Nomen: Nominativ und Akkusativ – Verben mit Vokalwechsel – Imperativ – Höflichkeitsform

Akkusativobjekt – Personalpronomen im Akkusativ – Fragepronomen im Nominativ und Akkusativ – *mögen*

# *Themenkreis* *Alltag und Freizeit*

Präpositionen der Zeit – Satz mit Zeitangaben –
Inversion – das unbestimmte *man* – Modalverben
*können/müssen* – trennbare Verben

Präpositionen des Ortes – Satz mit Orts- und
Zeitangaben – Zeitangaben mit *am*

Präpositionen: Ortsangaben –
das unpersönliche *es*

Präteritum von *haben* und *sein* – Nomen im Dativ
– Personalpronomen im Dativ

Themenkreis
Das sind wir

**Das lernst du:**

- wie man sich begrüßt

- die Namen der deutschsprachigen Länder und einiger Städte

- wie man sich vorstellt und andere etwas fragt

- wie man etwas verneint

- wie man eine andere Person vorstellt

- die Namen der Familienmitglieder

- das ABC

- was man am Telefon sagt

- was man zu Hause machen kann

- die Zahlen 1 – 1000

Was passt?

1 1

| 1 | 2 | 3 | 4 | 5 | 6 | 7 | 8 |
|---|---|---|---|---|---|---|---|
| ? | ? | ? | ? | ? | ? | ? | ? |

## A  Kontakte

**1. Hallo!**

Guten Morgen!

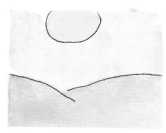
Guten Tag!

Guten Abend!

Gute Nacht!

Auf Wiedersehen!

Tschüs!

## 2. Spiel

Macht Zettel:

**Herr Müller**    **Peter**    **Frau**

      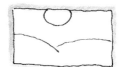    

2 Personen spielen und sprechen, 1 Person zeigt:

*Guten Morgen, Peter.*

*Guten Morgen, Herr Müller.*

## 3. Wer bist du?

▲ Ich | bin | ...    ● Und | du?
     | heiße | ...             | wie heißt du (denn)?
                                         | wer bist du (denn)?

▲ Bist du | neu hier?    ● Ja. | Ich bin ...
         | Robert?        Nein. |

▲ Spielst du | Fußball?    ● | Ja, klar!    ▲ | Also, dann los!
            | Karten?           | Nein, tut mir Leid.      | Schade.
            | Gitarre?
            | ...

## 4. Internationales Treffen

Ich bin Charly Chaplin.

Ich bin Marilyn Monroe.

Und wer bist du?

### Grammatik

| ich | spiel e | heiß e | bin |
|-----|---------|--------|------|
| du | spiel st | heiß t | bist |

| Ich | bin | Klaus |
|-----|------|-------|
| Du | heißt | Petra |

## 5. Bist du neu hier?

- ● Hallo! Bist du neu hier?
- ▲ Ja!
- ● Wie heißt du denn?
- ▲ Jörg. Und du?
- ● Ich bin Daniel.
  Spielst du mit?
- ▲ Ja, klar.
- ● Also, los!

## 6. Sportclub SC Chaos

Vorsicht, Chaos! Ordne.

- ● Hallo!   (du – neu – bist – hier)?
- ▲ Ja!
- ● (heißt – Katrin Winter – du)?
- ▲ Nein.   (heiße – Karin Winter – ich).
- ● Aha.   (bist – du – Karla Winter).
- ■ Nein!   (Karin Winter – ich – bin)!
- ● Aha. Also Karola.   (Tennis – du – spielst)?
- ■ Nein,   (Leid – mir – tut).
- ● Aha.   (Fußball – spielst – du)?
- ■ Nein!   (spiele – ich – Volleyball)!
- ● Aha, Basketball.   (Basketball – hier – ist).
- ■ Oh, nein!

## 1. Wo wohnst du?

▲ Wo wohnst du?

● (Ich wohne) in | Stuttgart.
Leipzig.
München.
Köln.
Düsseldorf.
Magdeburg.

Wo wohnst du?

In Berlin.

**5**

*Wohnst du in Stuttgart?*
*Ja.*

*Wohnst du in Stuttgart?*
*Nein, ich wohne nicht in Stuttgart.*

*Ich wohne in Heidelberg. Und du?*
*Ich auch.*

▲ Wohnst du in

Berlin?
Frankfurt?
Linz?
Rostock?

● Ja.
Nein, ich wohne nicht in …

▲ Ich wohne in

Berlin.
München.
Innsbruck.
Basel.

Und du?

● Ich auch.

## Grammatik

| Wohnt | Peter | in München? | Ja. |
|-------|-------|-------------|-----|
| Kommst | du | aus Köln? | Nein. |

| | |
|---|---|
| Woher kommst du? | Aus Spanien. |
| Wo wohnst du? | In Köln. |
| Wie heißt du? | Pedro. |

**6**

## 2. Woher kommst du denn?

*Hallo! Ich heiße Birgit.*
*Hallo! Ich bin Pedro.*
*Woher kommst du denn?*
*Ich komme aus Spanien.*
*Du sprichst aber gut Deutsch!*
*Na ja, ich wohne doch in Köln.*

Macht weitere Dialoge mit Birgit und …

Marina
aus Italien
in

Boris
aus Russland
in

Manuela
aus Spanien
in

15

## 3. Fußball international

Pedro Sandoz
Argentinien
Eintracht Frankfurt

Alberto Rosso
Italien
Werder Bremen

Ivan Ratak
Russland
Bayern München

Johann Hartl
Österreich
Borussia Dortmund

 Ich heiße Pedro Sandoz.
Ich komme aus Argentinien.
Ich wohne in Frankfurt.
Ich spiele bei Eintracht Frankfurt.

Ich heiße …

Ich heiße …

Ich heiße …

 ## 4. Wer bin ich?

a) Ich heiße nicht TREBOR.
　　　Ich komme nicht aus AKIREMA.
　　　　　Ich wohne nicht in NILREB.
　　　　　　　Ich spiele nicht SINNET.

b) Mach ein Rätsel für deinen Partner.

Ich heiße Robert!

**Tipp**
Hört euch gegenseitig genau zu und verbessert wenn nötig.

## Grammatik

Ich heiße nicht Jan. Ich heiße Daniel.

Ich komme nicht aus Köln. Ich komme aus Leipzig.

## Na so was!

 ### Hallo, hallo …

**1 7/8**

Hallo, hallo, ich bin Andreas.
Hallo, hallo, wer bist du?
Hallo, hallo, ich bin Andrea
und komme aus Berlin.
Wo kommst du her? Aus Berlin?
Nicht aus Hamburg, nicht aus Wien?
Ich bin Andrea aus Berlin.
Ach, na so was! Das ist ja lustig.
Ich bin Andreas aus Berlin.

Hallo, hallo, ich bin Paul.
Hallo, hallo, wer bist du?
Hallo, hallo, ich bin Paula
und komme aus Berlin.
Woher kommst du? Aus Berlin?
Nicht aus Dresden, nicht aus Wien?
Ich bin Paula aus Berlin.
Ach, na so was! Das ist ja lustig.
Ich bin Paul  aus Berlin.

(Daniel　– 　Daniela
Martin　– 　Martina
Mario　– 　Maria
Manuel　– 　Manuela
Stefan　– 　Stefanie
Karl　　– 　Karla)

## Lesen

### 🐱 1. Deutsch ist gar nicht so schwer

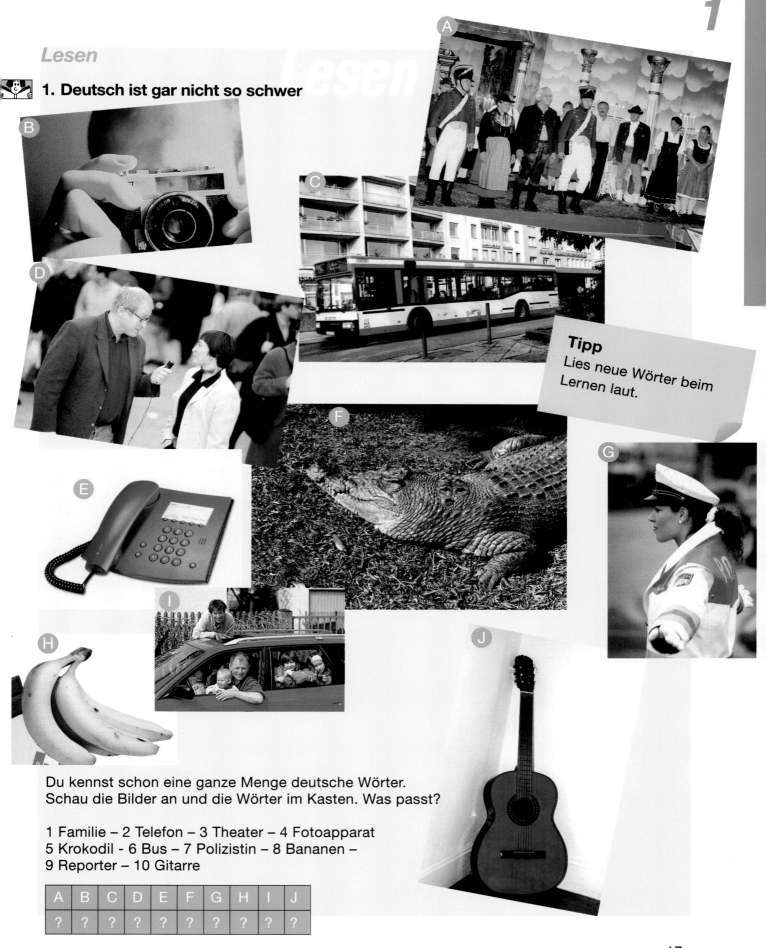

**Tipp**
Lies neue Wörter beim Lernen laut.

Du kennst schon eine ganze Menge deutsche Wörter.
Schau die Bilder an und die Wörter im Kasten. Was passt?

1 Familie – 2 Telefon – 3 Theater – 4 Fotoapparat
5 Krokodil - 6 Bus – 7 Polizistin – 8 Bananen –
9 Reporter – 10 Gitarre

| A | B | C | D | E | F | G | H | I | J |
|---|---|---|---|---|---|---|---|---|---|
| ? | ? | ? | ? | ? | ? | ? | ? | ? | ? |

# 1

## Lernwortschatz

**Grüßen:**  Hallo!   Guten Morgen!   Guten Tag!   Guten Abend!   Gute Nacht!
Auf Wiedersehen!   Tschüs!

### Sich vorstellen und andere fragen:

Ich bin ...

Ich heiße ...

Ich wohne in ...

Ich komme aus ...

Wie heißt du?

Wer bist du?

Wo wohnst du ?

Woher kommst du?

### etwas verneinen:

Spielst du Tennis? – Nein, (tut mir Leid).

Ich komme nicht aus Deutschland.

### Die Namen der deutschsprachigen Länder und einiger Städte:

Bundesrepublik Deutschland, Österreich, Schweiz

Berlin, Stuttgart, Heidelberg, Frankfurt, Rostock, München, Zürich,

Linz, Innsbruck, Basel ...

# Grammatik

## 1. Verb

|          | spielen  | wohnen  | kommen  | heißen | sein   |
|----------|----------|---------|---------|--------|--------|
| ich      | spiel e  | wohn e  | komm e  | heiß e | bi n   |
| du       | spiel st | wohn st | komm st | heiß t | bi st  |

## 2. Satz

a) Aussagesatz

| Ich | heiße  | Petra.   |
|-----|--------|----------|
| Du  | wohnst | in Köln. |

b) Ja – Nein – Frage

| Bist du Alfred?          | Ja.   |
| Wohnst du in Stuttgart?  | Nein. |

c) **W – Frage**

| W ie heißt du?      |
| W o wohnst du?      |
| W oher kommst du?   |

## 3. Negation

Ich heiße nicht Albert. Ich heiße Alfred.

Ich wohne nicht in Spanien. Ich wohne in Deutschland.

## So sind wir!

**2**

16 Wesseling

Februar
Ich!
Lena
Party!

1 Mehlplatz

Geburtstage

März
13. Agathe
7. "Strolch"

April
11. Niklas
1. "Lady"

PELE 19
München '60

**1 bis 20**

| 1 | eins | 6 | sechs | 11 | elf | 16 | sechzehn | 0 | null |
|---|------|---|-------|----|-----|----|----------|---|------|
| 2 | zwei | 7 | sieben | 12 | zwölf | 17 | siebzehn | | |
| 3 | drei | 8 | acht | 13 | dreizehn | 18 | achtzehn | | |
| 4 | vier | 9 | neun | 14 | vierzehn | 19 | neunzehn | | |
| 5 | fünf | 10 | zehn | 15 | fünfzehn | 20 | zwanzig | | |

a) Hör die Zahlen.
b) Schau die Bilder an. Hör die Zahlen noch einmal
   und zeig auf die passende Zahl in den Bildern.
c) Wo kommen in deinem Alltag Zahlen vor?

## A Zahlen

  **1. Welche Zahl ist das?**

Hör zu und schreib auf.

  **2. Wie alt bist du denn?**

- ● Einmal, bitte!
- ▲ Wie bitte?
- ● Einmal, bitte!
- ▲ Sag mal, wie alt bist du denn?
- ● Ich bin zwölf.
- ▲ Du bist doch noch gar nicht zwölf.
- ● Na ja, noch nicht ganz.

 Macht weitere Dialoge.

  **3. Telefon**

Anne

Brigitte Stein

- ▲ 17 … 0 … 5 … 12.
- ● Hallo!
- ▲ Hallo, hier ist Anne. Ist Brigitte da?
- ● Wie bitte? Brigitte? Ich verstehe nicht.
- ▲ Brigitte Stein!
- ● Stein? Nein, hier ist Müller.
- ▲ Oh, Entschuldigung.
- ● Ach, das macht nichts.

- ▲ Mal sehen! Ah! 16 … 0 … 5 … 12.
- ● Hier Stein.
- ▲ Brigitte, bist du's?
- ● Na klar! Hallo, Anne!

Herr Müller

 Macht weitere Dialoge.

Anne telefoniert noch mit:

| Name | Telefon | | | |
|------|---------|---|---|---|
| Markus Roth | 15 08 18 | aber: | Frau Weiß | 15 09 18 |
| Karin Reichel | 81 23 63 | aber: | Herr Schmidt | 81 33 63 |
| Franz Huber | 21 36 55 | aber: | Frau Rampe | 2 01 36 55 |
| Jan Zimmer | 45 79 31 | aber: | Herr Hahn | 4 75 93 1 |

# B Wer ist das?

**1. Peter und Petra**

Wie heißt er? — Er heißt …

Wie heißt er? — Er heißt …

Wie heißt sie? — Sie heißt …

## 2. Rate mal! Wer ist das?

a) Er ist neunzehn Jahre alt.
   Er kommt aus Wien.
   Wie heißt er?

b) Er ist vierzehn Jahre alt.
   Er kommt aus Leipzig.
   Wie heißt er?

c) Er ist sechs Jahre alt.
   Er kommt aus Bern.
   Wie heißt er?

d) Sie ist zwanzig Jahre alt.
   Sie kommt aus Zürich.
   Wie heißt sie?

e) Sie ist vierzehn Jahre alt.
   Sie kommt aus Innsbruck.
   Wie heißt sie?

f) Sie ist sieben Jahre alt.
   Sie kommt aus München.
   Wie heißt sie?

Tina

Robert

Ralf

Thomas

Susanne

Karin

### Grammatik

| er / sie | komm t | heiß t | ist |
|----------|--------|--------|-----|

## 3. Das ist Davide

Wer (a) das?
Er (b) Davide. Er (c) in Wien
Aber er (d) nicht aus Wien. Er (e) aus Verona.
Das (f) in Italien.
Er (g) gut Deutsch, aber auch Italienisch.
Er (h) dreizehn Jahre alt.
Er (i) Fußball und Tennis.

wohnt = 1
spricht = 2
heißt = 3
spielt = 4
kommt = 5
ist = 6

Setz die Verben ein. Richtig? Das Rätsel sagt es dir.

a + b – c + d + e – f – g + h + i = 20

## 4. Besuch bei Oma

**13**

Was ist richtig?

a) Er heißt ☐ Jonas.
☐ Thomas.
☐ so was.

b) Er ist Peters ☐ Freund.
☐ Oma.
☐ Kind.

c) Er kommt aus ☐ Bremen.
☐ Jemen.
☐ Emden.

d) Er wohnt jetzt in ☐ Stuttgart.
☐ Hamburg.
☐ Frankfurt.

## 5. Domino

Florian ist Reporter bei der
Schülerzeitung „Domino".
Er macht zur Zeit Inter-
views mit ausländischen
Mitschülern.
Hier sind seine Fragen:

Wie heißt du?
Wo wohnst du?
Woher kommst du?
Wie alt bist du?
Sprichst du Deutsch?
Was spielst du?

Manuel Rodrigues – München – Spanien –
14 – Deutsch und Spanisch – Fußball und
Gitarre

Maria Zanella – München – Italien – 15 –
Deutsch und Italienisch – Tennis und Volleyball

Stell dir vor, Florian interviewt dich. Antworte.
Schreib auf.

# 2B

## 6. E-Mail

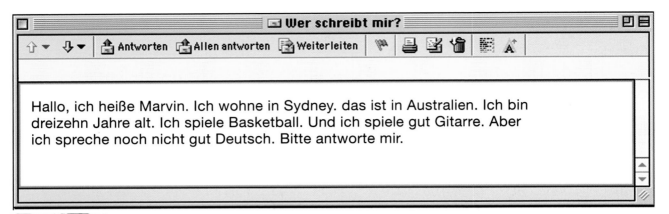

**Wer schreibt mir?**

Hallo, ich heiße Marvin. Ich wohne in Sydney. das ist in Australien. Ich bin dreizehn Jahre alt. Ich spiele Basketball. Und ich spiele gut Gitarre. Aber ich spreche noch nicht gut Deutsch. Bitte antworte mir.

Hallo!
Was ist denn das?

Schau mal, eine E-Mail aus Australien. Er heißt ...

Mach weiter: Er heißt ... Er ...
Antworte Marvin. Schreib eine E-Mail.

## *Na so was!*

### Pingpong

**D14**

● Liebe Freunde! Auch heute wieder „Pingpong", ein Quiz für Jungen und Mädchen.
Und hier gleich Kandidat eins.
Wie heißt du denn?

▲ Ich ...

● Na ja, du bist noch nervös. Aber das macht nichts.
Woher kommst du?

▲ Also, ich komme ...

● Aha, sehr interessant. Und wie alt bist du?

▲ Ich bin ...

● Danke! Und hier ist Kandidat zwei.

*Lesen*

**Ich bin drölf**

1  Ich heiße Inge. Ich bin dreizehn Jahre alt und wohne in Hamburg. Ich habe eine neue Mitschülerin. Sie kommt nicht aus Deutschland. Woher kommt sie? Und wie heißt sie?
„Hallo", sage ich. „Ich bin Inge. Und wer bist du?" „Ich heiße Giana", sagt
5  das Mädchen. „Woher kommst du denn?" „Ich komme aus Italien. Aber jetzt wohne ich in Deutschland, wie du." „Und wie alt bist du?" „Drölf", sagt Giana. „Wie bitte? Das verstehe ich nicht." „Eins und drei", sagt Giana nervös. „Verstehst du: drölf! Ich bin nicht elf Jahre alt. Ich bin auch nicht zwölf Jahre alt. Ich bin drölf Jahre alt." „Ach so, jetzt verstehe ich.
10  Du meinst dreizehn. Dreizehn, nicht drölf." „Puh", sagt Giana. „Deutsch ist aber nicht sehr logisch."

**1. Welche Antwort passt?**

1. Wer kommt aus Deutschland?
   a) Giana.
   b) Inge.
   c) Ein Junge.

2. Wie heißt das deutsche Mädchen?
   a) Hamburg.
   b) Giana.
   c) Inge.

3. Wer ist Giana?
   a) Ein Mädchen aus Hamburg.
   b) Ein Mädchen aus Deutschland.
   c) Ein Mädchen aus Italien.

4. Wo wohnt Giana?
   a) In Hamburg.
   b) In Italien.
   c) Bei Inge.

5. Wie alt ist Giana?
   a) Elf.
   b) Zwölf.
   c) Dreizehn.

**Tipp**

Wenn du Fragen zu einem Text beantworten sollst: Lies zuerst die Fragen, dann den Text. Dann findest du leichter die gesuchten Informationen.

**2. Richtig oder falsch?**

a) Inge ist dreizehn Jahre alt und wohnt nicht in Hamburg.
b) Die neue Mitschülerin kommt nicht aus Deutschland, aber sie wohnt in Deutschland.
c) Giana versteht Inge nicht.
d) Giana ist so alt wie Inge.

## Lernwortschatz

**Die Zahlen 1 – 20:**

| | | | |
|---|---|---|---|
| 1 | eins | 12 | zwölf |
| 2 | zwei | 13 | dreizehn |
| 3 | drei | 14 | vierzehn |
| 4 | vier | 15 | fünfzehn |
| 5 | fünf | 16 | sechzehn |
| 6 | sechs | 17 | siebzehn |
| 7 | sieben | 18 | achtzehn |
| 8 | acht | 19 | neunzehn |
| 9 | neun | 20 | zwanzig |
| 10 | zehn | | |
| 11 | elf | 0 | null |

**Eine andere Person vorstellen:**

Das ist Tinas Freund Paul.
Er kommt aus Hamburg.
Sie ist vierzehn Jahre alt.
Sie spielt gern Tennis.

**Am Telefon:**

Hallo, hier ist Anne.
Ist Brigitte da?                    Wie bitte? Ich verstehe nicht.

Oh, Entschuldigung.           Das macht nichts.

## Grammatik
### Verb

| | spielen | kommen | wohnen | heißen | sein |
|---|---|---|---|---|---|
| ich | spiel e | komm e | wohn e | heiß e | bin |
| du | spiel st | komm st | wohn st | heiß t | bist |
| er/sie | spiel t | komm t | wohn t | heiß t | ist |

# Vater, Mutter, Opa, Oma und Co

# 3

Mama
Tante Anni
Onkel Hans
Oma
Papa
Opa
Das ist meine Familie!

1 15 Hör zu.
Wer ist das?

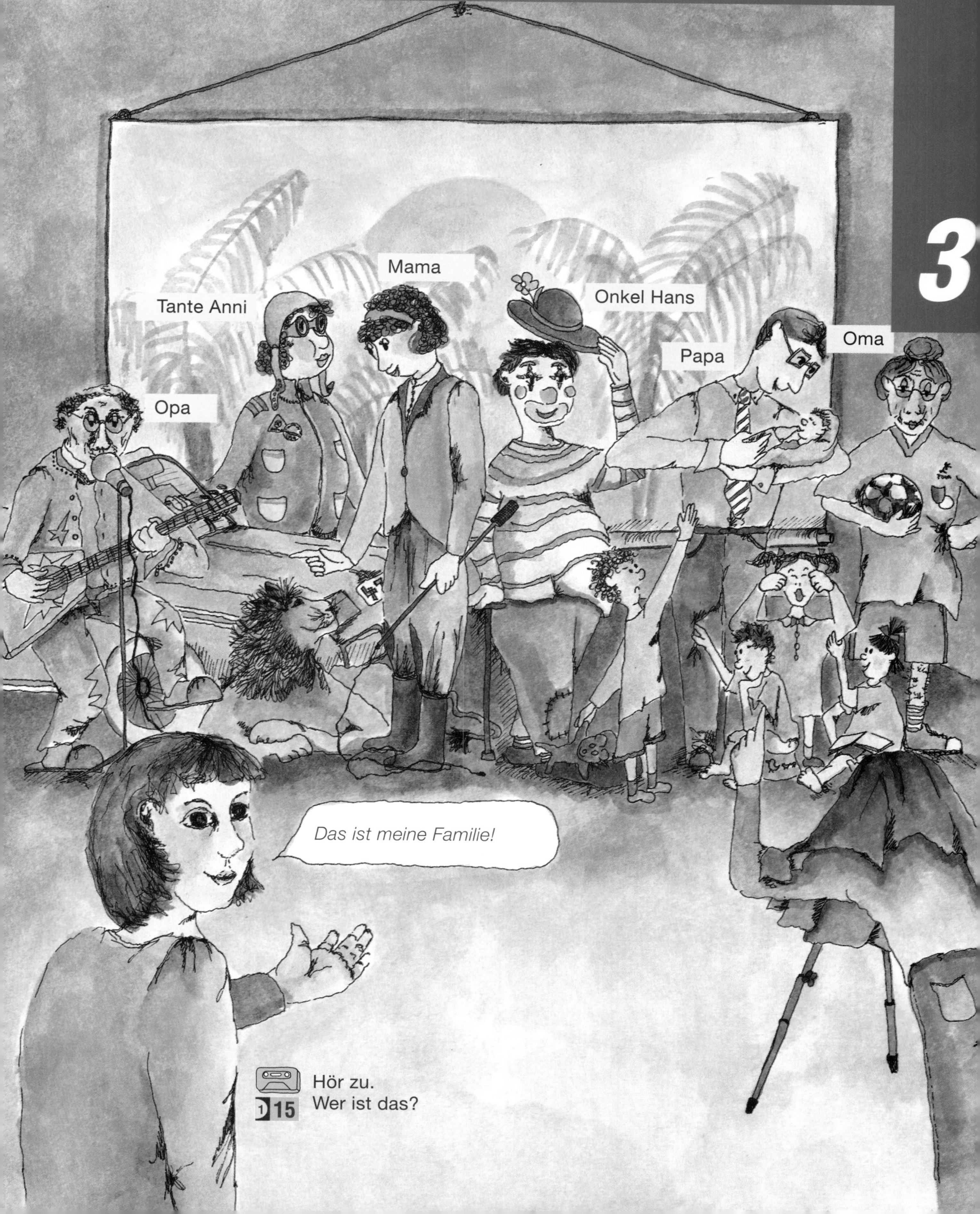

# 3A

## A Ich und meine Familie

### 1. Ein Fotoalbum

Ferien in Italien

① Ich und mein Boot

② Petra, Telefon: 0221/385911

③ Papi und Spaghetti

④ Mami, wo bist du?

Schau mal, Susi! Ein Fotoalbum!

Oh, toll! Zeig mal!

Was passt zusammen?

1|16

③
● Ist das dein Vater?
▲ Ja! Komisch, nicht?

?
▲ Das ist Peter, mein Bruder.
● Wie alt ist er denn?
▲ Fünfzehn.

?
● Und das da?
▲ Das ist eine Freundin von Peter. Sie heißt Petra.

?
● Wer ist das?
▲ Mein Onkel Stefan. Er wohnt in Italien.

?
● Wo ist denn deine Mutter?
▲ Hier!
● Was? Das ist deine Mutter?

?
▲ Und das ist mein Franzi.
● Wer?
▲ Franzi, mein Hund!
● Ach so!

?
● Wo bist du denn?
▲ Schau doch!
● Hier?
▲ Richtig!

?
● Sind meine Eltern nicht schick?
▲ Wo sind denn deine Eltern?
● Na hier!
▲ Super!

⑤ *Wo ist hier eine Dusche?*

⑥ *Meine Schwester!*

⑦ *Spielst du mit?*

*He, mein Fotoalbum!*

⑧ *Meine Familie*

⑨ *Modenschau*

## Grammatik

| (ein)<br>mein<br>dein | | (eine)<br>meine<br>deine | –<br>meine<br>deine |
|---|---|---|---|
| Freund | Kind | Freundin | Eltern |
| Hund | Foto | Katze | Geschwister |
| Lehrer | Fotoalbum | Lehrerin | Großeltern |
| Vater | | Mutter | |
| Bruder | | Oma | |
| Onkel | | Tante | |

Das *ist* mein Vater.

Das *sind* meine Eltern.

⚠ **Nomen schreibt man im Deutschen immer groß.**

## 2. Komische Geschichten

Was fehlt (ein/eine, mein/meine, dein/deine)?

## 3. Hallo, Marvin!

Setz ein.

ein = 1
eine = 2
mein = 3
meine = 4
dein = 5
deine = 6

Richtig?
Das Rätsel sagt es dir.

a + b - c + d + e - f + g
+ h + i - j - k + l = 10

Hallo, Marvin,
danke für deine E-Mail. Du schreibst, (a) Bruder ist 20 Jahre alt. Das ist
ja lustig. (b) Bruder ist nämlich auch 20. Er wohnt in Hamburg. Er studiert
da.
Das ist überhaupt ganz toll. Du weißt, ich wohne in Frankfurt. Ich habe zwei
Tanten und drei Onkel. (c) Tante wohnt in Italien, in Siena. (d) Onkel
wohnt in Rostock, (e) Onkel in Zürich. (f) Onkel Theo wohnt in Köln und (g)
Tante Vera in Wien. Und (h) Großeltern sind in Heidelberg. In den Ferien bin
ich dann in Rostock oder in Hamburg, in Zürich, Köln, Heidelberg, Wien oder
in Italien. Manchmal kommt (i) Freundin Steffi mit. Das ist doch super,
oder?
Wo sind eigentlich (j) Großeltern, (k) Tanten und Onkel? Kommt (l) Freund
Tom in den Ferien mit?
Bis bald
Miriam

# B Das ABC

## 1. Geheimschrift

17

Jörg und Wolfi sind Freunde.
Wolfi schreibt Jörg einen Brief.
In Geheimschrift!

Verstehst du den Brief?

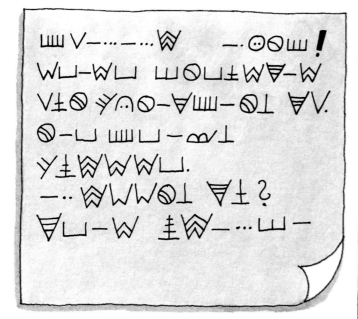

Schreib richtig: Hallo …

## 2. Hör zu und schreib auf

18

Beispiel

*Du hörst:* ha – u – en – de
*Du schreibst:* Hund

## 3. Schreiben

a) Schreib deinen Namen und
deine Adresse in *Schreibschrift*

b) Schreib deinem Partner einen kleinen
Brief. Schreib in Geheimschrift oder in
Schreibschrift.

| Druck-schrift | | Schreib-schrift | | Wolfis Geheimschrift |
|---|---|---|---|---|
| A | a | *A* | *a* | |
| B | b | *B* | *b* | |
| C | c | *C* | *c* | |
| D | d | *D* | *d* | |
| E | e | *E* | *e* | |
| F | f | *F* | *f* | |
| G | g | *G* | *g* | |
| H | h | *H* | *h* | |
| I | i | *J* | *i* | |
| J | j | *J* | *j* | |
| K | k | *K* | *k* | |
| L | l | *L* | *l* | |
| M | m | *M* | *m* | |
| N | n | *N* | *n* | |
| O | o | *O* | *o* | |
| P | p | *P* | *p* | |
| Q | q | *Q* | *q* | |
| R | r | *R* | *r* | |
| S | s | *S* | *s* | |
| T | t | *T* | *t* | |
| U | u | *U* | *u* | |
| V | v | *V* | *v* | |
| W | w | *W* | *w* | |
| X | x | *X* | *x* | |
| Y | y | *Y* | *y* | |
| Z | z | *Z* | *z* | |

Dazu kommen ß
und die Umlaute:

| | ß | | *ß* | |
|---|---|---|---|---|
| | | | | |
| Ä | ä | *Ä* | *ä* | |
| Ö | ö | *Ö* | *ö* | |
| Ü | ü | *Ü* | *ü* | |

# 3

## Na so was!

### 1. Ferienfotos

**19**

▲ Schau mal! Meine Ferienfotos.
● Wer ist das denn?
▲ Mein Bruder.
● Aha!
Und das?
▲ Das ist auch mein Bruder.
● Aha!
Und wer ist das?
Ist das auch dein Bruder?
▲ Nein, das ist doch mein Vater.

### 2. Nicht zu Hause

**20**

▲ Hier Wegner.
● Hallo! Hier ist Frau Meißner. Ich bin eine
Lehrerin von Tobias. Ist deine Mutter da?
▲ Nein, meine Mutter ist nicht da.
● Und dein Vater?
▲ Tut mir Leid. Mein Vater ist auch nicht da.
● Na ja, ist Tobias da?
▲ Nein, ich bin nicht zu Hause.
● Wie bitte? Ja, wer spricht denn da?
▲ Mein Bruder.

## Lesen

### Wie heißt mein Hund?

1  Ich heiße Fabian und bin dreizehn Jahre alt. Ich wohne in Köln. Mein Vater arbeitet bei Ford, meine Mutter auch.

Ich bin oft allein zu Hause, das heißt, nicht ganz allein. Mein Hund ist ja da. Er ist noch ganz jung und ganz lieb. Wie heißt er? Das weiß ich noch nicht. Er ist noch nicht so lange mein

5  Hund.

Heute gehen wir in den Wald. Mein Hund spielt. Auf einmal ist er weg! Ich rufe: „Hallo! Wo bist du?" Aber mein Hund hört nicht. Er versteht nicht, was ich sage. „Du Idiot!", rufe ich. Da kommt mein Lehrer. Mein Hund hört mich nicht, aber mein Lehrer hört mich. Leider! „Wie bitte?", sagt er. „Was sagst du da?" „Ich- ach- nichts!" Ich bin ganz rot.

10  Da kommt mein Hund. „Ist das dein Hund?" „Ja", sage ich, „das ist mein Hund." „Wie heißt er denn?" „Idiot", sage ich schnell. „Mein Hund heißt Idiot." „Soso", sagt mein Lehrer. „Das ist also Idiot." Dann geht er weiter.

Jetzt weiß ich, wie mein Hund heißt: nicht Idiot, aber Idi.

### Was ist richtig?

*Zeile 1–2*

a) Peter ist dreizehn. Peters Eltern arbeiten bei Ford.
b) Peter ist dreizehn und wohnt bei Ford.
c) Peter ist dreizehn und wohnt nicht in Köln.

*Zeile 3*

a) Peters Hund ist oft allein zu Hause.
b) Peters Hund ist noch ganz jung und heißt „Das weiß ich noch nicht".
c) Peters Hund ist da. So ist Peter nicht ganz allein.

*Zeile 6*

a) Heute gehen die zwei in den Wald. Peter und sein Hund spielen zusammen.
b) Heute gehen die zwei in den Wald. Auf einmal ist der Hund weg.
c) Heute geht Peters Hund allein in den Wald und spielt.

*Zeile 6–7*

a) Peter ruft: „Hallo! Wo bist du?" Peters Hund kommt. Er versteht „Hallo".
b) Peter ruft: „Hallo! Wo bist du?" Aber der Hund versteht nicht, was Peter sagt.
c) Peter ruft: „Hallo! Wo bist du?" Peters Hund hört das und versteht alles.

*Zeile 7–8*

a) Peter ruft: „Du Idiot!" Das hört Peters Lehrer.
b) Peter ruft: „Du Idiot!" Das hört Peters Hund.
c) Peter ruft: „Du Hund!" Da kommt Peters Lehrer.

*Zeile 13*

a) Peters Hund heißt jetzt „Idiot".
b) Peters Hund heißt jetzt „Soso".
c) Peters Hund heißt jetzt „Idi".

**Tipp**
Lies zuerst die Überschrift. Überlege: Welches Thema hat der Text wohl? Das hilft dir dann beim Verstehen.

# 3

## Lernwortschatz

### Die Familie:

Großeltern:  Oma        Opa        ... ...

Eltern:                      Vater ---- ---- Mutter
            Tante
            Onkel

Geschwister:           Bruder            Schwester

### Das ABC:

| | | | | | |
|---|---|---|---|---|---|
| a A | b B | c C | d D | e E | f F |
| g G | h H | i I | j J | k K | l L |
| m M | n N | o O | p P | q Q | r R |
| s S | t T | u U | v V | w W | x X |
| y Y | z Z | | | | |

ß      ä Ä      ö Ö      ü Ü

### Eine andere Person vorstellen:

Das ist Tobias.
Das sind Tobias und Onkel Theo.

## Grammatik

### Artikel

| | Singular | | | Plural |
|---|---|---|---|---|
| | Maskulinum | Neutrum | Femininum | |
| unbestimmter Artikel | ein Freund | ein Foto | eine Freundin | – Geschwister |
| Possessivartikel | mein Freund<br>dein Freund | mein Foto<br>dein Foto | meine Freundin<br>deine Freundin | meine Geschwister<br>deine Geschwister |

Das *ist* mein Freund.

Das *sind* meine Geschwister.

# Zu Hause

**4**

1 schreiben    2 rechnen    3 zeichnen    4 lesen

5 singen    6 arbeiten    7 Hausaufgaben machen    8 eine Party machen

Wer macht was?

| A | B | C | D | E | F | G | H |
|---|---|---|---|---|---|---|---|
| ? | ? | ? | ? | ? | ? | ? | ? |

## A  Ich und meine Freunde

 **1. Eine Party**

1 21

Papi in München

Papi in München
Mami in Köln
Party!!! Jörg, Cori ♥, Thomas (+Sonja),
Hansi, Klaus, Annette, Jutta, Matthias, Daniela

Papi in München
Mami kommt

Mo 6
Di 7
Mi 8

● Hier Jörg Müller.
▲ Hallo, Jörg, hier ist Roman.
  Kommst du heute?
  Meine Eltern sind nicht da.
● Ja, klar.
  Mein Bruder Andreas kommt auch mit.
▲ Gut. Bis später.

● Hier Corinna Steiner.
▲ Hallo, Cori, hier ist Roman.
  Kommst du heute?
  Mein Vater ist nicht da.
  Und meine Mutter ist auch weg.
● Ja, klar. Bis später. Tschüs!

● Hier König.
▲ Hallo, Hansi. Hier ist Roman.
  Meine Mutter ist nicht zu Hause.
  Kommst du heute?
● Ja, gern. Aber mein Freund Martin
  aus Köln ist da. Er
  kommt dann auch mit.
▲ Ja, klar.
● Also gut, bis später.

Und jetzt noch Matthias, Klaus, Annette …
Macht weitere Dialoge.

## 2. Richtig oder falsch?

**22**

Hör zu. Was ist richtig? – Was ist falsch?

a) Martin: „Ich komme aus Köln."
b) Roman: „Jörg ist mein Freund."
c) Hansi: „Mein Freund kommt aus Kiel."
d) Andreas: „Jörg ist mein Bruder."
e) Corinna: „Ich bin eine Freundin von Martin."
f) Jutta: „Meine Schwester heißt Sonja."

Was sagen Sonja und Jörg?

*Jörg ist mein Freund.*

## B Zahlen, Jahre, Nummern

### 1. Zahlen und Jahre

**23**

| | | | | | | | |
|---|---|---|---|---|---|---|---|
| 21 einundzwanzig | 26 sechsundzwanzig | 31 einunddreißig | 80 achtzig |
| 22 zweiundzwanzig | 27 siebenundzwanzig | 40 vierzig | 90 neunzig |
| 23 dreiundzwanzig | 28 achtundzwanzig | 50 fünfzig | 100 (ein)hundert |
| 24 vierundzwanzig | 29 neunundzwanzig | 60 sechzig | 1000 (ein)tausend |
| 25 fünfundzwanzig | 30 dreißig | 70 siebzig | |

Achtung! 14 vierzehn 15 fünfzehn 16 ... 17 ... 18 ... 19 ...
40 vierzig 50 fünfzig 60 ... 70 ... 80 ... 90 ...

*Die Zahl:* 1992 eintausendneunhundertzweiundneunzig
*Das Jahr:* 1992 neunzehnhundertzweiundneunzig

*Die Zahl:* 2001 zweitausendeins
*Das Jahr:* 2001 zweitausendeins

Achtung beim Sprechen von Zahlen:
erst Einer, dann Zehner:
5 6 3

fünfhundertdreiundsechzig

### 2. Nummern (Telefon)

**24**

Beispiel

● 37–29–12 (Tut – tut ...)
▲ Hier Bullmann.

● 24–18–36 (Tut – tut ...)
▲ ...

Und jetzt du. Hör zu. Wer spricht?

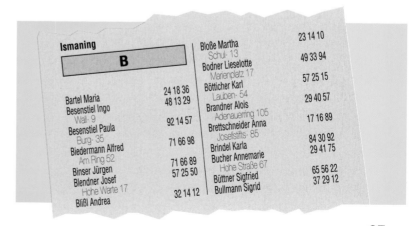

# 4c

## C  *Was macht die Familie?*

 **1. Was machst du?**

 25
▲ Christian, was machst du denn?
● Das siehst du doch.
   Ich turne.

 Macht weitere Dialoge.

schreiben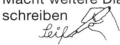

rechnen

zeichnen

malen

lesen

singen

(Das hörst
du doch.)

 **2. Ich möchte …**

26

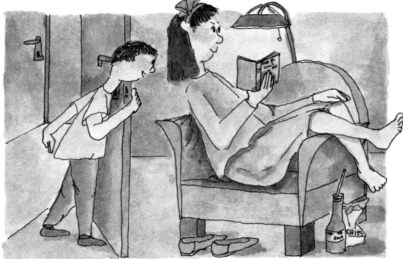

▲ Eva, was machst du denn?
● Ich lese.
▲ Was liest du denn?
● Hm.
▲ Ist das interessant?
● Lass mich in Ruhe.
   Ich möchte lesen.

▲ Papi, was machst du denn?
● Ich arbeite.
▲ Was arbeitest du denn?
● Lass mich doch. Ich möchte
   in Ruhe arbeiten.

 Macht weitere Dialoge.

schreiben    lernen
zeichnen     spielen

## 3. Was macht …?

▲ Hallo, Jakob. was machst du denn?
● Ich lerne.
▲ Und was möchtest du machen?
● Oh, ich möchte Fußball spielen.

Ach so ist das!
Jakob lernt,
aber er möchte
Fußball spielen.

▲ Hallo, Johanna. …

Mach weiter.

### Grammatik

| ich | möcht e |
| du | möcht est |
| er/sie | möcht e |

| Ich | möchte | in Ruhe | malen. |
| Du | möchtest | in Ruhe | lesen. |
| Er/Sie | möchte | in Ruhe | arbeiten. |

## 4. Anzeigen

**A** **pgphg du Gitarre?** Jpghg du Musik hkskk? Bist du 14 Jahre alt? hkrst du in Starnberg? Dann ruf an! Wir sind eine Schülerband und suchen einen Gitarristen. Tel.: 67209

**B** **Babysitter gesucht!** Wer jkjkd zweimal die Woche mit Jonas? Jonas ist drei Jahre alt. Tel.: 769818

**C** **Wer mnhnh Tennis skgsk?** Tennisclub TC Staufen bietet Trainer-Stunden für Kinder. Anmeldung bitte direkt im Club-Haus.

**D** **Junge sucht Ferienjob!** Ich bin 15 Jahre alt. Ich jkgjk in den Ferien jhkjh. Ich jhkjh (fast) alles! Tel.: 80328

Ersetze die Druckfehler:
möchtest – möchte – wohnst – spielst –
spielt – mache – machen – arbeiten –
spielen – möchte

**5. Familien in Deutschland**

# Stefan

Ich heiße Stefan Huber und bin 11 Jahre alt. Ich wohne in München. Mein Vater arbeitet bei der Post. Meine Mutter ist zu Hause. Meine Schwester Cornelia ist schon 15 Jahre alt. Am Samstag bin ich oft bei Oma. Sie wohnt in Eching. Das ist ein Dorf, 20 Kilometer von München. Ich bin gern dort.

# Sigrid

Ich heiße Sigrid, Sigrid Wöhrmann. Ich bin fünfzehn. Ich wohne in Aachen. Mein Vater arbeitet in Stuttgart. Er kommt nur am Samstag und Sonntag nach Hause. Mami und ich sind die ganze Woche allein. Das heißt, nicht ganz allein, denn da ist noch meine Katze Musch. Sie ist ganz lieb.

# Monika

Ich bin Monika Spann. Ich wohne in Köln. Mein Vater arbeitet bei Ford, meine Mutter auch. Ich bin oft allein zu Hause. Aber das macht nichts. Ich mache Hausaufgaben. Dann lese ich oder male etwas. Manchmal gehe ich zu Claudia. Sie ist meine Freundin. Sie ist dreizehn, so wie ich.

# Marco

Ich heiße Marco Sartori. Ich komme aus Italien. Aber meine Familie wohnt schon zwölf Jahre in Deutschland, in Düsseldorf. Mein Vater arbeitet hier, meine Mutter auch. Ich bin 14 Jahre alt. Meine Schwester Stella und mein Bruder Claudio sind hier. Mein Bruder Alfonso – er ist schon 19 – ist wieder in Palermo. Er arbeitet dort. Ich spreche gut Deutsch, aber auch gut Italienisch, denn mein Vater spricht zu Hause nur Italienisch.

**Tipp**
Ähnliche Texte kannst du leichter verstehen, wenn du sie auf gleiche Kategorien hin überprüfst.

| Name | Wohnort | Alter | Geschwister |
|---|---|---|---|
| Stefan Huber | ? | ? | ? |
| Sigrid Wöhrmann | ? | ? | ? |
| Monika Spann | ? | ? | ? |
| Marco Satori | ? | ? | ? |

## 6. Würfelspiel

Beispiel:

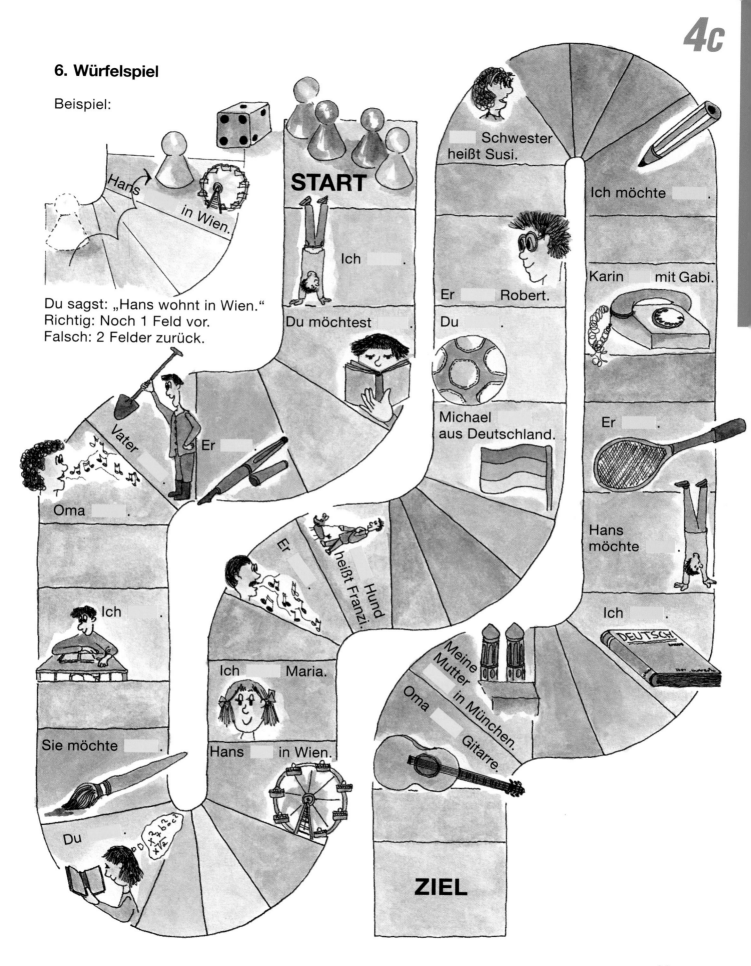

Hans ____ in Wien.

Du sagst: „Hans wohnt in Wien."
Richtig: Noch 1 Feld vor.
Falsch: 2 Felder zurück.

**START**

Ich ____ .

Du möchtest ____ .

Er ____ Robert.

Du ____ .

Michael ____ aus Deutschland.

____ Schwester heißt Susi.

Ich möchte ____ .

Karin ____ mit Gabi.

Er ____ .

Vater ____ .

Er ____ .

Oma ____ .

Hans möchte ____ .

Ich ____ .

Er ____ .

Hund heißt Franzi.

Ich ____ .

Sie möchte ____ .

Ich ____ Maria.

Hans ____ in Wien.

Meine Mutter ____ in München.

Oma ____ Gitarre.

Du ____ .

**ZIEL**

**7. Meine Familie und ich**

**FAMILIENQUIZ**
**FAMILIENQUIZ**
**FAMILIENQUIZ**
**FAMILIENQUIZ**
**FAMILIENQUIZ**
**FAMILIENQUIZ**
**FAMILIENQUIZ**

## *Meine Familie und ich*

*Möchtest du mitmachen?*

*Schreib:*   Wer bist du (Name, Alter …)?
Wie ist deine Familie (Name, Alter … von Eltern,
Geschwistern …)?

*Schreib an:*   **Norddeutscher Rundfunk**
Redaktion: Familienquiz

## *Na so was!*

### 1. Ich heiße …

**27**

● Guten Tag.
▲ Guten Tag. Was möchtest du denn?
● Ich möchte anders heißen.
▲ Wie bitte?
● Ich möchte anders heißen.
▲ Wie heißt du denn?
● Thomas Idiot.
▲ Wie bitte?
● Ich heiße Thomas Idiot.
▲ Ach, ich verstehe.
Und wie möchtest du heißen?
● Peter Idiot.

### 2. Ich mach' heut' eine Party

**28**

Ich mach' heut' eine Party, ich bin allein zu Haus.
Meine Eltern sind nicht da, ich mach' eine Party – hurra!
Ich mach' heut' eine Party, ich bin ganz allein.
Ich lade meine Freunde und Freundinnen ein.

Ich mach' heut' eine Party, ich bin allein zu Haus.
Meine Freunde sind schon da, die Musik ist super, na klar!
Ich mach heut' eine Party, ich bin allein zu Haus.
Mami ist weg, Papi ist weg – sie sind wieder da, o Schreck!

## Lesen

**Tipp**
Konzentriere dich auf die
Wörter, die du schon kennst.
Dann verstehst du die
wichtigsten Informationen
im Text.

# Meine Tante Cora und die Katze Fips

1 Ich heiße Laura und bin dreizehn Jahre alt.
Ich wohne in Hamburg. Mein Vater ist Lehrer,
meine Mutter ist Lehrerin. Ich zeichne und
lese gern, und ich spiele Gitarre.
5 Am Samstag oder Sonntag bin ich oft bei
meiner Tante Cora. Sie ist sehr lieb. Sie wohnt
mit einer Katze in einem Dorf, vierzig
Kilometer von Hamburg. Die Katze heißt Fips.
Sie möchte immer spielen.

10 Heute bin ich wieder bei meiner Tante. Ich
lerne Latein. Schrecklich. Auf einmal macht
Fips „Miau". „Fips spricht", sagt meine Tante.
„Was? Eine Katze spricht nicht!", sage ich.

„Aber Fips spricht!", sagt meine Tante. „Ich
verstehe", sagt meine Tante. 15
„Fips sagt: ‚Ich möchte Milch'." Sie gibt Fips
Milch. „Miau", sagt Fips wieder. „Fips möchte
noch Milch", sage ich, „ich versteh die Katze
jetzt gut."
„Nein", sagt meine Tante. „Fips möchte 20
spielen." „Aber Miau bedeutet doch Milch",
sage ich.
„Miau bedeutet auch ‚Ich möchte spielen',
‚Wer bist du?', ‚Lass mich in Ruhe' und so
weiter." 25
„Warum lerne ich nicht die Katzensprache?"
sage ich „Warum lerne ich Latein?".

## 1. Ist das richtig?
Finde die Fehler und korrigiere.

Laura ist dreizehn Jahre alt und wohnt bei Tante Cora. Sie zeichnet, lernt
gern Latein und spielt Tennis. Tante Cora wohnt in einem Dorf in Hamburg.
Sie hat eine Katze, Fips. Fips spricht. Sie sagt „Miau". Laura versteht und
gibt Fips Milch. Dann sagt Fips wieder „Miau". Fips möchte noch Milch.
„Miau" bedeutet ‚Milch' oder ‚Ich möchte spielen' oder ‚Wo wohnst du?'
oder ‚Lass mich in Ruhe'.

## 2. Antworte.

a) Wie alt ist Laura?
b) Wo wohnt Laura?
c) Wie heißt die Katze von Tante Cora?
d) Was macht Laura bei Tante Cora?
e) Die Katze Fips spricht. Was möchte sie?
f) Was möchte Fips dann?

## Lernwortschatz

### Die Zahlen:

| | | | | | |
|---|---|---|---|---|---|
| 20 | einundzwanzig | 28 | achtundzwanzig | 70 | siebzig |
| 22 | zweiundzwanzig | 29 | neunundzwanzig | 80 | achtzig |
| 23 | dreiundzwanzig | 30 | dreißig | 90 | neunzig |
| 24 | vierundzwanzig | 31 | einunddreißig | 100 | (ein)hundert |
| 25 | fünfundzwanzig | 40 | vierzig | 1000 | (ein)tausend |
| 26 | sechsundzwanzig | 50 | fünfzig | | |
| 27 | siebenundzwanzig | 60 | sechzig | | |

### Zahlen und Jahre:

Die Zahl: 1999 eintausendneunhundertneunundneunzig
Das Jahr: 1999 neunzehnhundertneunundneunzig

Die Zahl: 2001 zweitausendeins
Das Jahr: 2001 zweitausendeins

### Am Telefon (sich verabreden):

Hier Jörg Müller.    Hallo Jörg. Hier ist Roman. Kommst du heute?
Ja, klar.    (Also) Gut. Bis später. Tschüs.

### Das kann man zu Hause machen:

schreiben – rechnen – zeichnen – lesen – singen – arbeiten - Hausaufgaben machen -
eine Party machen - lernen

## Grammatik

### Verb

| | malen | schreiben | machen | zeichnen | sprechen | lesen | sehen |
|---|---|---|---|---|---|---|---|
| ich | male | schreibe | mache | zeichne | spreche | lese | sehe |
| du | malst | schreibst | machst | zeichn est | spr i chst | l ie st | s ie hst |
| er/sie | malt | schreibt | macht | zeichn et | spr i cht | l ie st | s ie ht |

### Modalverb

| ich | möcht e |
|---|---|
| du | möcht est |
| er | möcht e |

| Ich | möchte | in Ruhe | malen. |
|---|---|---|---|
| Du | möchtest | in Ruhe | lesen. |
| Er/Sie | möchte | in Ruhe | arbeiten. |

Themenkreis
Alltag und Schule

**Das lernst du:**

- die Schulfächer
- die Wochentage
- etwas über Schulen in Deutschland
- einen Stundenplan lesen und schreiben
- die Schulsachen
- wie man Personen beschreibt
- wie man freundlich und höflich miteinander spricht
- was man in der Pause isst und trinkt

# Schule

| Deutsch | Latein | Mathe(matik) | Biologie | Sozialkunde | Sport |
|---------|--------|--------------|----------|-------------|-------|
| Englisch | Russisch | Physik | Informatik | Philosophie | Musik |
| Französisch | | Chemie | | Ethik/Religion | Kunst(erziehung) |
| | | | | Geographie | Handarbeit |
| | | | | Geschichte | Werken |

29

| Fach | Geschichte | ? | ? | ? | ? | ? | ? | ? |
|------|-----------|---|---|---|---|---|---|---|
| Klasse | 10 a | ? | ? | ? | ? | ? | ? | ? |

# 5A

## A Die Unterrichtsfächer

### 1. Stundenplan

| | MONTAG | DIENSTAG | MITTWOCH | DONNERSTAG | FREITAG | SAMSTAG | SONNTAG |
|---|---|---|---|---|---|---|---|
| 1 | | | $a^2 + b^2 = c^2$ | | | | |
| 2 | | | | | $a^2 + b^2 = c^2$ | | |
| 3 | | $a^2 + b^2 = c^2$ | | | | frei | frei |
| 4 | $a^2 + b^2 = c^2$ | | | | | | |
| 5 | | | | | | | |
| 6 | | | | | | | |

Der Stundenplan von Florian:

a) Er hat | am Montag | Informatik, Geschichte ...
| am Dienstag | ...
| am Mittwoch |
| am Donnerstag |
| am Freitag |
| am Samstag |
| am Sonntag |

> Deutsch, Englisch, Geographie (Erdkunde), Mathe(matik), Ethik/Religion, Sport, Biologie, Chemie, Kunst(erziehung), Physik, Musik, Französisch, Geschichte

b) Wie viele Stunden Deutsch hat Florian?
Wie viele Stunden Mathe hat er?
Wie viele Stunden ...

c) Und du?
Wie viele Stunden Deutsch hast du?
Wie viele Stunden Mathe hast du?
Wie viele Stunden ...

## 2. Wie findet Florian die Fächer?

*Ich habe vier Stunden Mathe. Mathe ist blöd.*

*Ich habe zwei Stunden Physik. Das geht.*

*Ich habe eine Stunde Biologie. Bio ist gut.*

*Sport ist mein Lieblingsfach.*

Und was sagt Kirsten?

Geographie
eine Stunde

Deutsch
fünf Stunden

Chemie
zwei Stunden

Musik
eine Stunde

Und du? Wie findest du deine Fächer?

## 3. Hör zu

**30**

Ergänze den Stundenplan.

Bernd:

|   | Mo | Di | Mi | Do | Fr | Sa |
|---|----|----|----|----|----|----|
| 1 | *frei* | ∿∿ | ∿∿ | ∿∿ | ∿∿ |  |
| 2 | ∿∿ | ? | ∿∿ | ∿∿ | ? |  |
| 3 | ∿∿ | ? | ∿∿ | ∿∿ | ∿∿ | *frei* |
| 4 | ∿∿ | ∿∿ | ∿∿ | ∿∿ | ∿∿ |  |
| 5 | ∿∿ | ∿∿ | ∿∿ | ? | ∿∿ |  |
| 6 | ∿∿ | *frei* | ∿∿ | *frei* | ∿∿ |  |

Monika:

|   | Mo | Di | Mi | Do | Fr | Sa |
|---|----|----|----|----|----|----|
| 1 | ∿∿ | *frei* | ∿∿ | ∿∿ | ? |  |
| 2 | ∿∿ | ∿∿ | ∿∿ | ∿∿ | ? |  |
| 3 | ∿∿ | ∿∿ | ∿∿ | ∿∿ | ? | *frei* |
| 4 | ∿∿ | ∿∿ | ∿∿ | ∿∿ | ? |  |
| 5 | ∿∿ | ? | ∿∿ | ∿∿ | *frei* |  |
| 6 | ∿∿ | ∿∿ | ∿∿ | ∿∿ | *frei* |  |

| Bernd hat<br>Monika hat | am Montag in der<br>am Dienstag in der<br>… | (1.) ersten Stunde<br>(2.) zweiten Stunde<br>(3.) dritten Stunde<br>(4.) vierten Stunde<br>(5.) fünften Stunde<br>(6.) sechsten Stunde | frei.<br>Mathe.<br>… |

## 5A

**1 31**

### 4. Was habt ihr jetzt?

▲ Was habt ihr denn jetzt?
● Musik.
▲ Das ist doch toll!
● Gar nicht toll.
▲ Singt ihr denn nicht in Musik?
● Nein, wir schreiben Noten.
▲ Wir singen immer.

Macht weitere Dialoge.

| ● | ▲ | ● |
|---|---|---|
| Kunst | malen | Kunstgeschichte lernen |
| Sport | turnen | Gymnastik machen |
| Deutsch | sprechen | Grammatik lernen |

### Grammatik

| wir | sing en | schreib en | sprech en | les en | hab en | sind |
|-----|---------|------------|-----------|--------|--------|------|
| ihr | sing t | schreib t | sprech t | les t | hab t | seid |

### 5. Spiel: Schiffchen versenken

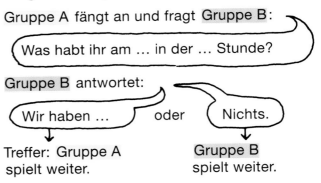

Wir spielen „Schiffchen versenken" mit Stunden.

**Vorbereitung:**

Zwei Gruppen (Gruppe A und Gruppe B) spielen.
Jede Gruppe macht zwei Stundenpläne.

Gruppe A/Gruppe B trägt in den ersten
Stundenplan die Stunden ein.
2 Stunden Deutsch     2 Stunden Bio(logie)
3 Stunden Mathe       1 Stunde Kunst(erziehung)

**So geht das Spiel:**

Gruppe A fängt an und fragt Gruppe B:

Was habt ihr am ... in der ... Stunde?

Gruppe B antwortet:

Wir haben ...     oder     Nichts.

Treffer: Gruppe A     Gruppe B
spielt weiter.        spielt weiter.

Gruppe A schreibt in den zweiten Plan
die Stunde oder x (= Nichts) als Kontrolle.

**A**

| A | Mo | Di | Mi | Do | Fr | Sa | So |
|---|----|----|----|----|----|----|----|
| 1 | | | | | | | |
| 2 | | | | | | | |
| 3 | | | | | | | |
| 4 | | | | | | | |
| 5 | | | | | | | |
| 6 | | | | | | | |

**B**

| B | Mo | Di | Mi | Do | Fr | Sa | So |
|---|----|----|----|----|----|----|----|
| 1 | ? | ? | ? | ? | ? | ? | ? |
| 2 | ? | ? | ? | ? | ? | ? | ? |
| 3 | ? | ? | ? | ? | ? | ? | ? |
| 4 | ? | ? | ? | ? | ? | ? | ? |
| 5 | ? | ? | ? | ? | ? | ? | ? |
| 6 | ? | ? | ? | ? | ? | ? | ? |

50

## B  Quatsch

### 1. Wir sind drei Freunde

Wir heißen Deutsch, Englisch
  und Mathematik.
Wir wohnen in der 7 b.
Wir sind in Stuttgart.
Wir haben Robert, Albert und
  Herbert.

a) Schreib richtig:
   Wir heißen Robert …

b) Schreib selbst so einen
   Quatsch-Text.

### 2. Diese Zwillinge!

Was fehlt?

| Lehrer: | Ah, ihr ___ Zwillinge. |
| | Und wie ___ ihr? |
| Zwilling 1: | Wir ___ Peter und Paul. |
| Zwilling 2: | Paul und Peter. |

Lehrer:      Und woher ___ ihr?
Zwilling 1:  Aus Buxtehude.
Zwilling 2:  Ich auch.

Lehrer:      Wie alt ___ ihr?
Zwilling 1/2: 30!
Lehrer:      So ein Quatsch!

Lehrer:      ___ ihr noch Geschwister?
Zwilling 1/2: Ja, Petra und Pauline.
Lehrer:      O Gott!

# 5c

## C  Schule in Deutschland

### 1. Ist das richtig?

1 Das sind der Hausmeister und seine Frau. Sie wohnen in der Schule.

2 Das sind Lisa, Uli und Claudia. Sie haben große Pause.

3 Das sind Tobias und Moni und ihre Freunde.

4 Sie kommen aus München. Sie haben Wandertag.

5 Sie schreiben eine Klassenarbeit.

6 Sie gehen in die neunte Klasse. Sie machen gerade ein Klassenfoto.

Was passt?

| A | B | C | D | E | F |
|---|---|---|---|---|---|
| ? | ? | ? | ? | ? | ? |

### Grammatik

| sie | wohn en | schreib en | spiel en | komm en | hab en | möcht en | sind |
|---|---|---|---|---|---|---|---|

### 2. Was machen die Schüler?
Schau die Bilder auf Seite 47 an.
Schreib Sätze. Beispiel: Klasse 8a hat Sport. Sie spielen ...

## 3. Ergänze

● Sieh mal, das Foto hier. Das sind meine
Freunde. Sie ▢ in die Realschule und
▢ schon Englisch.
▲ Wie ▢ sie denn?
● Axel und Peter.

▲ Und das hier sind meine Geschwister.
Sie ▢ ins Gymnasium.
● Wie alt ▢ ▢ ?
▲ Sechzehn und siebzehn.

▲ Die beiden ▢ Bruder und Schwester.
▢ ▢ Zwillinge.
● Wo ▢ ▢ ?
▲ In Köln.
● ▢ sie auch in die Realschule?
▲ Nein, in die Hauptschule. In die 9. Klasse.

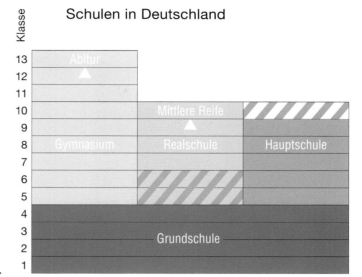

Schulen in Deutschland

## 4. Zeugnis

GEBRÜDER-GRIMM-GYMNASIUM ISMANING

Schuljahr 20 . . / . .    Klasse 10 a

**ZWISCHENZEUGNIS**

für

die Schülerin des Neusprachlichen Gymnasiums

Christiane Maria Horn

Mitarbeit: gut

Verhalten: lobenswert

| | | | | |
|---|---|---|---|---|
| Religionslehre (ev.) | 4 | Erdkunde | 2 | |
| Deutsch | 3 | Geschichte | 3 | |
| Englisch | 3 | Sozialkunde | 2 | |
| Französisch | 3 | Ethik | - - - | |
| Latein | 5 | Wirtschafts- und Rechtslehre | 4 | |
| Griechisch | - - - | Musik | 1 | |
| Mathematik | 4 | Kunsterziehung | 3 | |
| Physik | 3 | Sport | 1 | |
| Biologie | 3 | Handarbeiten | - - - | |
| Chemie | - - - | | | |

Ismaning, 15. Februar 20 . .

Schulleiter/in:    Klassenlehrer/in:

Noten:  1 = sehr gut.   2 = gut.   3 = befriedigend.   4 = ausreichend.   5 = mangelhaft.   6 = ungenügend.

Antworte.

a) Wie heißt die Schülerin?
b) Was hat sie in Deutsch?
c) Was hat sie in Sport?
d) In welchem Fach ist sie gut?
e) In welchem Fach ist sie nicht
    so gut?
f) Wie heißt die Schule?
g) Ist die Schülerin gut in der
    Schule?
h) Habt ihr auch Englisch,
    Mathe …?
i) Singt ihr in Musik?
j) Spielt ihr Fußball in Sport?

 Schreib ein Zeugnis für

Herrn ▢ (Lehrer)/
Frau ▢ (Lehrerin).

Was hat er/sie in Mathe,
Deutsch, Sport …?

# 5c

**5. Eine tolle Schule**

**WETTBEWERB**

*Eine tolle Schule*

**W**ie möchtest du deine Schule?

Beschreibe sie: **W**elche Fächer (Kunst, Sport ...)?
**W**ie viele Stunden?
**W**as machen die Schüler?
**W**ie sind die Lehrer? ...

Schreib an: Familienmagazin (Schülerredaktion)

Einsendeschluss: 31. Mai

*Na so was!*

**32**

### Schüler-Boogie

Ach, wir Schüler haben's schwer!
Jeden Tag zur Schule geh'n!
Lernen, lernen, immer nur lernen,
jeden Tag die Lehrer sehn!
Schule, Schule, Schule jeden Tag!

Am Montag fängt's mit Mathe an,
zwei Stunden Mathe, das ist blöd.
Algebra und Geometrie,
ein Genie, wer das versteht!
    Schule, Schule ...

Am Dienstag haben wir Chemie.
Ich versteh' die Formeln nicht.
Der Lehrer fragt, ich weiß keine Antwort.
„Setzen! Sechs!", der Lehrer spricht.
    Schule, Schule ...

Am Mittwoch eine Stunde Kunst.
Wir malen einen Blumenstrauß.
Die Klasse malt. Nur ich male nicht,
denn mein Pinsel ist zu Haus.
    Schule, Schule ...

Zwei Stunden Deutsch am Donnerstag.
Wir schreiben ein Diktat, oh nein!
Ich mache sicher ganz viele Fehler.
Oh! Der Lehrer kommt schon rein.
    Schule, Schule ...

Geschichte ist am Freitag dran,
Bismarck und Napoleon.
Die Jahreszahlen weiß ich nie.
Ach, na und, was macht das schon!
    Schule, Schule ...

Am Samstag endlich ist's so weit.
Fußball spielen! Freunde sehen!
Tennis spielen und in die Disco!
Nur nicht in die Schule gehen!
    Schule, Schule,
      keine Schule heut'!

Am Sonntag ist noch immer frei,
doch es ist nicht mehr so schön.
Haben wir noch Hausaufgaben?
Ach, ich möcht' sie nie wieder seh'n, die
    Schule – morgen
      geht es wieder los.

## Lesen

# Tim ist Tom

1 Tim und Tom sind Zwillinge. Sie gehen in die Realschule. Tim geht in die 8a, Tom geht in die 8b. Tim ist ein guter Schüler. Er hat in Mathe und Geschichte eine Eins. In den anderen Fächern hat
5 er eine Zwei. Nur in Musik ist er nicht so gut. Da hat er eine Vier.
Tom ist leider kein guter Schüler. In Mathe hat er eine Fünf, in Deutsch, Englisch und Physik eine Vier. Nur in Musik ist Tom sehr gut. Tom ist sogar
10 in der Schülerband. Er spielt Gitarre und singt. Seine Band spielt Lieder von deutschen Gruppen.

Am Dienstag schreibt Tom eine Mathearbeit. Das ist blöd. Denn am Montag hat Tom ein Konzert mit seiner Band. Das heißt: Noten und Liedertexte lernen. Da hat er keine Zeit für Mathematik. Doch 15 Tom hat eine Idee. Er spricht mit Tim. Denn Tim hat am Dienstag Wandertag. Da macht es nichts, wenn er nicht da ist. Er wandert einfach nicht mit. Tim schreibt Toms Klassenarbeit. Und Tom lernt Liedertexte. Toll, wenn man ein Zwilling ist. 20 Doch nicht so toll: Tim schreibt den falschen Namen auf die Klassenarbeit: Tim. Nicht Tom. Was nun?

## Welche Antwort passt?

**1. In welche Klasse gehen die Zwillinge Tim und Tom?**
a) In die Realschule.
b) In die 8a.
c) In die 8a und 8b.

**2. Was macht Tom in der Schülerband?**
a) Er schreibt eine Mathearbeit.
b) Er spielt Gitarre und singt.
c) Er spielt und singt auf Englisch.

**3. Was ist am Dienstag los?**
a) Tim hat Wandertag und Tom hat ein Konzert mit seiner Band.
b) Tim wandert und Tom hat keine Zeit für Mathematik.
c) Tim hat Wandertag und Tom hat eine Mathearbeit.

**4. Was für eine Idee hat Tom?**
a) Tim macht den Wandertag nicht mit und schreibt Toms Klassenarbeit.
b) Tom lernt Liedertexte und schreibt die Klassenarbeit.
c) Tim lernt Liedertexte und schreibt Toms Mathearbeit.

**5. Geht alles gut?**
a) Nein, Tim schreibt Toms Namen auf die Klassenarbeit.
b) Nein, Tim schreibt den falschen Namen auf die Klassenarbeit.
c) Ja, denn es ist toll, wenn man ein Zwilling ist.

**Tipp**
Sieh dir den Titel an. Er sagt dir oft etwas über das Thema des Textes. Dann lies den ersten Abschnitt. Er enthält meistens wichtige Informationen.

## Was ist richtig?

*Zeile 2*
a) Die Zwillinge Tim und Tom gehen in die 8a.
b) Tim und Tom sind Schwestern. Sie gehen in die 8a und 8b.
c) Die Zwillinge Tim und Tom gehen in die Realschule.

*Zeile 2–9*
a) Tim ist gut in der Schule. Er hat in Deutsch, Englisch und Physik eine Zwei.
b) Tom ist nicht so gut in der Schule. Er hat in Deutsch eine Fünf, in Englisch und Physik eine Vier.
c) Tim und Tom sind gut in Musik.

*Zeile 12–17*
a) Am Dienstag hat Tim Wandertag und Tom ein Konzert mit seiner Band.
b) Am Dienstag hat Tim Wandertag und Tom hat keine Zeit für Mathematik.
c) Am Dienstag wandert Tim und Tom hat eine Mathearbeit.

*Zeile 18–20*
a) Tim macht den Wandertag nicht mit und schreibt Toms Klassenarbeit.
b) Tom lernt Liedertexte und schreibt die Klassenarbeit.
c) Tim lernt Liedertexte und schreibt Toms Mathearbeit.

**5**

## Lernwortschatz

### Die Schulfächer:

Deutsch
Englisch
Französisch
Latein
Russisch
Mathe(matik)
Physik

Chemie
Biologie
Informatik
Sozialkunde
Ethik
Religion
Geographie

Geschichte
Sport
Musik
Kunst(erziehung)
Handarbeit
Werken

### Stundenplan lesen:

in der ersten Stunde
zweiten
dritten
vierten
fünften
sechsten

### Die Wochentage:

Montag
Dienstag
Mittwoch
Donnerstag
Freitag
Samstag
Sonntag

### Schulen in Deutschland:

Grundschule
Hauptschule
Realschule
Gymnasium

## Grammatik

### Verb

|  | kommen | haben | sprechen | sein |  |
|---|---|---|---|---|---|
| ich | komm e | hab e | sprech e | bin | möcht e |
| du | komm st | ha st | spr i ch st | bist | möcht est |
| er es sie | komm t | ha t | spr i ch t | ist | möcht e |
| wir | komm en | hab en | sprech en | sind | möcht en |
| ihr | komm t | hab t | sprech t | seid | möcht et |
| sie | komm en | hab en | sprech en | sind | möcht en |

6

a) Ordne die Geschichte. Erzähle.
b) Welche Fächer hat Jan heute?

## A  Das brauche ich

### 1. Der Neue

**33**

Schreib so: Richtig (r) / Falsch (f) / Ich weiß nicht (?).

a)  Klaus ist neu hier.
b)  Florian ist in der 6a.
c)  Sie haben jetzt Deutsch.
d)  Herr Müller ist der Mathematiklehrer.
e)  Klaus Wehner kommt aus Düsseldorf.
f)  Der Mathematiklehrer ist nett.

g)  Florian heißt Wohlmann.
h)  Der Mathelehrer gibt Klaus
    eine Cassette.

> **Tipp**
> Wenn du die Nomen mit
> Farben markierst, kannst du
> das Genus besser behalten:
> Maskulinum = blau
> Neutrum = grün
> Femininum = rot

### 2. Das ist ein …

**34**

| | A | B | C |
|---|---|---|---|
| | ein (mein/dein) | ein (mein/dein) | eine (meine/deine) |
| 1 | Bleistift | Heft | Tasche |
| 2 | Füller | Buch | Schere |
| 3 | Radiergummi | Lineal | Tafel |
| 4 | Spitzer | Blatt (Papier) | Kreide |
| 5 | Block | Mäppchen | Mappe |
| 6 | Farbstift | Turnzeug | Patrone |
| 7 | Malkasten | Bild | Landkarte |
| 8 | Kugelschreiber | | |
| 9 | Pinsel | | |
| | *Maskulinum* | *Neutrum* | *Femininum* |

▲ Was ist A 2?          ▲ Was ist C 5?          Macht weiter. Spielt schnell! (Wer einen
● (Das ist) ein Füller.   ● …                    Fehler macht, muss ausscheiden.)

## 3. Wo ist denn nur ...?

35

▲ Wo ist denn nur mein Heft?
● Ist das dein Heft?
▲ Nein.

● Mein Füller ist weg.
▲ Hier ist ein Füller.
● Ach ja, danke.

Macht weitere Dialoge mit Wörtern aus 2.

## 4. Drudel

Das ist ein Malkasten (von vorn).

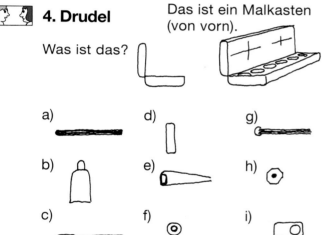

Was ist das?

a) ——————
b)
c)
d)
e)
f)
g)
h)
i)

a) ▲ Ist das ein Bleistift?
  ● Nein, das ist kein Bleistift.
  ▲ Ist das ein Kugelschreiber?
  ● Nein, das ist auch kein Kugelschreiber.

  Was ist das?*

b) ▲ Ist das ein Mäppchen?
  ● Nein, das ist kein Mäppchen.
  ▲ Ist das ein Bild?
  ● Nein, das ist auch kein Bild.

  Was ist das?*

c) ▲ Ist das eine Kreide?
  ● Nein, das ist keine Kreide.
  ▲ Ist das eine Patrone?
  ...

  Macht weiter.

  Mach selbst Drudel für deinen Partner. Er fragt, du antwortest.

*Auflösung:
a) ein Heft (von der Seite)
b) eine Tasche (von der Seite)
c) eine Schere (von der Seite)
d) eine Kreide (von der Seite)
e) eine Mappe (von der Seite)
f) eine Patrone (von oben)
g) ein Block (von der Seite)
h) ein Bleistift (von vorn)
i) ein Spitzer (von vorn)

## Grammatik

| ☐ | ein | | kein | ⊠ |
|---|-----|---|------|---|
| ☐ | eine | | keine | ⊠ |

| | Hier ist | ein | Füller. | Hier ist | kein | Füller. | |
| | Hier ist | ein | Heft. | Hier ist | kein | Heft. | |
| | Hier ist | eine | Tasche. | Hier ist | keine | Tasche. | |

**5. Das ist kein(e) …**

 **36**

▲ Wo ist dein Füller?
● Hier.
▲ Das ist kein Füller. Das ist ein Kugelschreiber.

● Ach so!          ● Tut mir Leid.
  Entschuldigung.    Mein Füller ist weg.

 Macht weitere Dialoge.

Block / Heft        Lineal / Bleistift   Mappe / Tasche
Bleistift / Farbstift   Heft / Blatt       Patrone / Farbstift

**6. Wo sind die Sachen?**

**37**

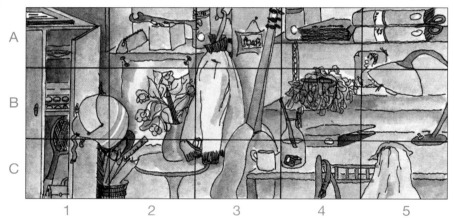

Wo ist der Bleistift? In B 2.
Wo ist das Mäppchen?
Wo ist die Kreide?
Wo ist der Füller?
Wo ist das Lineal?
Wo ist der Spitzer?
Wo ist die Tasche?
Wo ist das Heft?
Wo ist die Schere?
Wo ist das Buch?
Wo ist der Malkasten?

**7. Na ja!**

**38**

▲ Wo ist dein Matheheft?           Macht weitere Dialoge.
● Hier, Herr Müller.
▲ Das ist doch das Deutschheft.       der Schreibblock / der Rechenblock
● Oh, Entschuldigung. Hier, bitte.     das Lateinheft / das Englischheft
▲ Das ist dein Matheheft? Na ja!      die Geographiemappe / die Chemiemappe

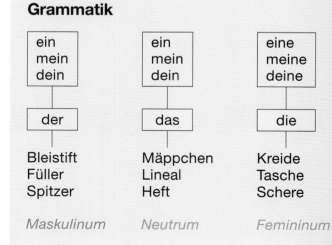

**Grammatik**

| ein mein dein | ein mein dein | eine meine deine |
|---|---|---|
| der | das | die |
| Bleistift Füller Spitzer | Mäppchen Lineal Heft | Kreide Tasche Schere |
| *Maskulinum* | *Neutrum* | *Femininum* |

# B Das gibt es in der Schule

## 1. Was fehlt (der/ein, das/ein, die/eine)?

Das ist ▨ Schüler.
▨ Schüler geht in die erste Klasse.

Das ist ▨ Bild.
▨ Bild ist von Doro.

Das ist ▨ Tafel.
▨ Tafel steht in der Klasse 7b.

Hier ist ▨ Malkasten.
▨ Malkasten hat 24 Farben.

Das ist ▨ Landkarte.
▨ Landkarte zeigt Europa.

# 6B

 **2. Verflixt!**

 ▲ Verflixt. Wo ist denn nur mein Füller?

● Was ist denn los?

▲ Ach, der Füller ist weg.

● Das gibt's doch nicht.

▲ Doch, er ist weg.　　▲ Ach, hier ist er ja.

 Macht weitere Dialoge.

| der | Bleistift |
| | Spitzer |
| | Malkasten |

| das | Lineal |
| | Mäppchen |
| | Heft |

| die | Schere |
| | Tasche |
| | Kreide |

## Grammatik

| ein<br>mein<br>dein | | ein<br>mein<br>dein | | eine<br>meine<br>deine | |
|---|---|---|---|---|---|
| der | Bleistift | das | Heft | die | Schere |
| er | | es | | sie | |
| *Maskulinum* | | *Neutrum* | | *Femininum* | |

## 3. Willkommen in der 7c

Liebe Sonja,
jetzt bin ich hier in der neuen Schule. Hier ist alles anders als in Hannover. Das Englischbuch zum Beispiel ist ganz anders. Aber (a) ist interessant. Mein Malkasten ist riesengroß. (b) hat 24 Farben, nicht zwölf wie normal. Auch der Zeichenblock ist doppelt so groß wie bisher. (c) geht nicht mal in die Tasche.
Ach ja, Tasche: Stell dir vor, am Dienstag in der ersten Stunde Englisch: Ich mache alles fertig, das Heft, das Mäppchen, alles. Die Englischlehrerein kommt und sagt:" Das Heft, bitte!" Aber wo ist mein Heft? (d) ist weg. Und das Mäppchen? (e) ist auch weg. Und meine Tasche ist auch nicht mehr da. Alle schauen an die Tafel. Da ist (f) ja, meine Schultasche! Alle lachen. „Willkommen in der 7c", sagt Florian.
Wie geht es dir in der siebten Klasse? Was für Lehrer habt ihr?
Schreib bald.
Viele Grüße
dein Klaus

a) Setz ein:
er = 4
es = 6
sie = 10

Rechenrätsel:
a + b + c − d − e + f = 12

b) Antworte Klaus.
Schreib einen Brief.

## 4. Im Schreibwarenladen

Mach eine Liste:

|   | Hefte | Spitzer | Blöcke | Brüder | Mappen | Blätter | Radiergummis | Bücher |
|---|-------|---------|--------|--------|--------|---------|--------------|--------|
| a | ? | ? | ? | ? | ? | ? | ? | ? |
| b | ? | ? | ? | ? | ? | ? | ? | ? |
| c | ? | ? | ? | ? | ? | ? | ? | ? |

a) Was möchte das Mädchen?
   Mach Kreuzchen. (x)
b) Wie viel möchte das Mädchen?
   Schreib die Zahlen.
c) Was hat der Verkäufer? (x)

## Grammatik

| Singular | + | | = | Plural |
|----------|---|---|---|--------|

| Heft | + | -e | = | Heft e |
| Block | + | ¨e | = | Bl ö ck e |
| Mappe | + | -n | = | Mappe n |
| Frau | + | -en | = | Frau en |
| Radiergummi | + | -s | = | Radiergummi s |
| Bild | + | -er | = | Bild er |
| Buch | + | ¨er | = | B ü ch er |
| Bruder | + | ¨ | = | Br ü der |
| Spitzer | + | – | = | Spitzer |

**Tipp**
Lern Nomen immer mit der Pluralform.
(Plural = gelb)

63

## 5. Wir reden in der Gruppe

Schreibt Karten zum Thema „Schule":

| Schule | Schule | Schule |
|---|---|---|
| **Klasse** | **Unterrichts-fächer** | **Lehrer** |

Macht Gruppen. Legt die Karten verdeckt auf den Tisch. Einer zieht eine Karte und stellt eine Frage, ein anderer antwortet.

*Beispiel* „Klasse".
- ● In welche Klasse gehst du?
- ■ In die sechste/siebte/achte Klasse.

*Beispiel* „Unterrichtsfächer":
- ● Hast du am Montag Sport?
- ■ Nein, am Dienstag.

Ihr könnt auch Karten zeichnen, zum Beispiel die Schulsachen.

Macht ein Fragezeichen dazu. Das heißt: eine Frage stellen.

*Beispiel:*
- ● Wo ist dein Matheheft?
- ■ Es ist weg. / Hier ist es ja.

## Na so was!

### Schulwitze

Die Schüler schreiben in Deutsch eine Klassenarbeit. Thema: „Mein Schulweg". Jan gibt sein Blatt ab, es ist leer. „Was ist denn mit dir los?", fragt der Lehrer. „Ich bin der Sohn vom Hausmeister", sagt Jan.

Josef kommt zu spät in die Schule. Auf der Treppe trifft er den Direktor. „Zehn Minuten zu spät!", sagt der Direktor. „Ich auch!", sagt Josef.

Im Biologieunterricht: „Nenne fünf Tiere aus Afrika." „Vier Giraffen und ein Zebra."

### Schulhausspiel

**So geht das Spiel:**
Würfeln und antworten!
Richtig: Du spielst weiter.
Falsch: Der nächste Schüler spielt weiter.

1. Nenne 5 Schulfächer.
2. Nenne 5 Schultage.
3. Was ist das?
4. Was ist das?
5. Was ist das?
6. Was ist das?
7. Nenne 5 Schulsachen.
8. Nenne 5 Verben + „Ich möchte …".
9. Dein Füller ist weg. Was sagst du?
10. Nenne die Schulen in Deutschland.
11. Was machst du in Musik?
12. Dein Heft ist weg. Was sagst du?
13. Was machst du in Mathe?
14. Was machen die Schüler in der Pause?
15. Was habt ihr am Samstag?
16. Was machst du in Sport?
17. Was ist das?

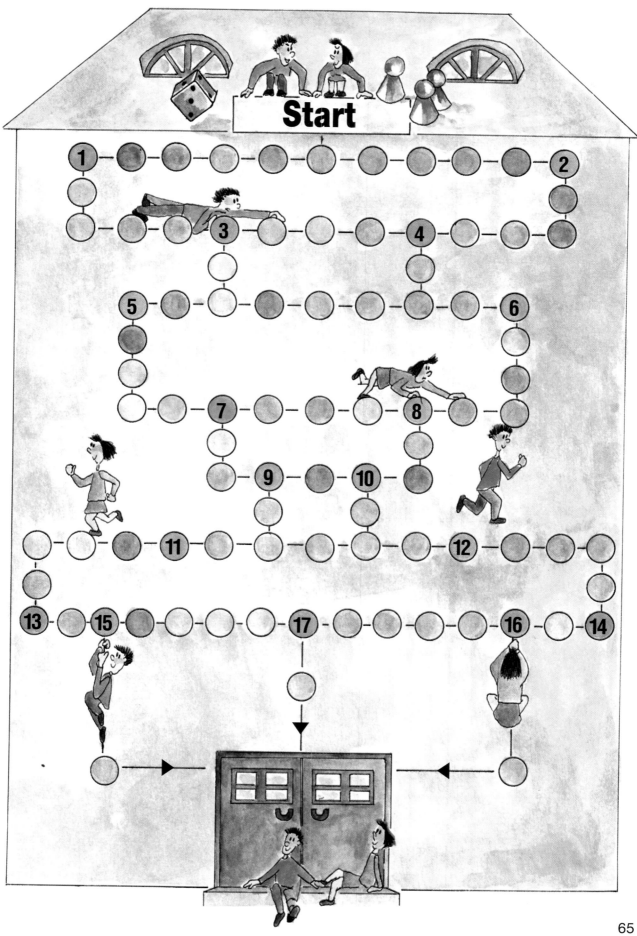

## Wo ist meine Klasse?

1 Philipp ist dreizehn Jahre alt. Er kommt aus München. Jetzt wohnt er in Hamburg. Er ist neu in der Schule. Er hat auch neue Schulsachen: einen Füller, zwei Bleistifte, vier Hefte und ein Mäppchen. Und natürlich eine neue Schultasche.

5 Heute ist Montag. Erster Schultag für Philipp. In der ersten Stunde hat er Mathematik. Er muss das richtige Klassenzimmer finden. Er öffnet die erste Tür. Die Schüler singen. Nein, das ist kein Matheunterricht. Philipp geht weiter, klopft an die zweite Tür. „Ja?", sagt die Lehrerin. Philipp öffnet die Tür. Er sieht Malkästen, Pinsel, Blöcke: Die Schüler malen ein Bild. Das ist

10 nicht Philipps Klasse. „Entschuldigung", sagt Philipp und geht weiter. Er ist schon sehr nervös, denn es ist schon spät. „Wo ist denn nur meine Klasse?" Er kommt in das dritte Klassenzimmer. „Entschuldigung", sagt Philipp, „ist das die 7c?" „Nein", sagt der Lehrer. „Das ist nicht die 7c. Das ist die 9b. Pst! Die Schüler schreiben eine Klassenarbeit."

15 Er klopft an die vierte Tür. Ein Mann öffnet. „Ja?", sagt der Mann. „Entschuldigung – ist das hier die Klasse 7c?" fragt Philipp. „Nein", sagt der Mann, „das hier ist meine Wohnung. Ich wohne hier. Ich bin der Hausmeister." „Oh, tut mir Leid. Wo finde ich denn die Klasse 7c?" „Die Klasse 7c findest du heute im Zoo". sagt der Hausmeister. „Sie hat

20 heute Wandertag."

### 1. Was ist richtig? Was ist falsch?

a) Philipp kommt aus Hamburg und ist neu in der Schule.
b) Er hat neue Schulsachen: einen Füller, zwei Kugelschreiber, vier Hefte und ein Mäppchen.
c) Am Montag ist Philipps erster Schultag.
d) Im zweiten Klassenzimmer haben die Schüler Kunst.
e) Philipp ist sehr nervös, denn er ist neu in der Schule.
f) Philipp klopft an die vierte Tür. Hier arbeitet der
Hausmeister.
g) Die 7c ist heute nicht in der Schule, denn sie hat
Wandertag.

### 2. Antworte.

a) Woher kommt Philipp?
b) Was hat Philipp in der ersten Stunde?
c) Welches Fach haben die Schüler im ersten Klassenzimmer?
d) Was sieht Philipp im zweiten Klassenzimmer?
e) Was machen die Schüler in der 9b?
f) Wer öffnet die vierte Tür?
g) Wo ist die Klasse 7c heute?

**Tipp**
Texte mit Dialogen versteht ihr besser, wenn ihr sie mit verteilten Rollen lest.

# Preisknüller

A Schere 2,90 €

B Hefte 6,20 €

C Spitzer 1,07 €

D Bleistifte 0,53 €

E Radiergummi 0,64 €

F Lineal 4,99 €

G Farbstifte 0,50 €

**Wie sind die Sachen richtig?**

| 1 | 2 | 3 | 4 | 5 | 6 | 7 |
|---|---|---|---|---|---|---|
| ? | ? | ? | ? | ? | ? | ? |

## Lernwortschatz

### Schulsachen:

der Bleistift, die Bleistifte
der Füller, die Füller
der Radiergummi, die Radiergummis
der Spitzer, die Spitzer
der Block, die Blöcke
der Farbstift, die Farbstifte
der Malkasten, die Malkästen
der Kugelschreiber, die Kugelschreiber
der Pinsel, die Pinsel

das Heft, die Hefte
das Buch, die Bücher
das Lineal, die Lineale
das Blatt, die Blätter
das Mäppchen, die Mäppchen
das Turnzeug
das Bild, die Bilder

die Tasche, die Taschen
die Schere, die Scheren
die Tafel, die Tafeln
die Kreide, die Kreiden
die Mappe, die Mappen
die Patrone, die Patronen
die Landkarte, die Landkarten

### zusammengesetzte Nomen

Stundenplan - Hausmeister – Wandertag – Klassenarbeit – Klassenfoto ...

# 1. Artikel (Nominativ)

| | Singular | | | Plural |
|---|---|---|---|---|
| | Maskulinum | Neutrum | Femininum | |
| bestimmter Artikel | der Bleistift | das Heft | die Tasche | die Farbstifte |
| unbestimmter Artikel | ein Bleistift | ein Heft | eine Tasche | – Farbstifte |
| Possessiv-artikel | mein Bleistift<br>dein Bleistift | mein Heft<br>dein Heft | meine Tasche<br>deine Tasche | meine Farbstifte<br>deine Farbstifte |
| Negativ-artikel | kein Bleistift | kein Heft | keine Tasche | keine Farbstifte |
| | ▲ er | ▲ es | ▲ sie | ▲ sie |

# 2. Nomen-Plural

| Singular | Plural |
|---|---|
| der Block | die Blöcke |
| das Buch | die Bücher |
| die Schere | die Scheren |

| **Gruppe -e** | **Gruppe ⁻e** | **Gruppe -n** | | **Gruppe -(n)en** |
|---|---|---|---|---|
| Bleistift e<br>Farbstift e<br>Heft e<br>Lineal e<br>Hund e<br>Freund e | Bl ö ck e | Tasche n<br>Schere n<br>Tafel n<br>Kreide n<br>Mappe n<br>Patrone n | Landkarte n<br>Schwester n<br>Tante n<br>Katze n | Frau en<br>Freundin nen<br>Lehrerin nen |
| **Gruppe -s** | **Gruppe -er** | **Gruppe -** | | **Gruppe ⁻⁻** |
| Radiergummi s<br>Foto s<br>Opa s<br>Oma s | Bild er | Füller<br>Spitzer<br>Kugelschreiber<br>Pinsel | Mäppchen<br>Lehrer | Malk ä sten<br>V ä ter<br>M ü tter<br>Br ü der |

 **a) Was passt?**

| 1 | 2 | 3 | 4 | 5 | 6 |
|---|---|---|---|---|---|
| ? | ? | ? | ? | ? | ? |

**b) Wer sind die Personen
in Bild A, Bild B ... ?**

**c) Wie findest du die Personen?**

Der ... in Bild ... ist
- nett.
- sympathisch.
- freundlich.
- locker.
- normal.

Der ... in Bild ... ist
- blöd.
- unsympathisch.
- unfreundlich.
- streng.
- komisch.

**1. Lehrerquiz**

# *Domino*

**Lehrerquiz: Wer ist wer?**

1 Herr Nolte

2 Frau Rose

3 Frau Abel

4 Herr Beck

5 Herr Weese

**A** Ist das ein Filmstar? Nein, das ist eine Lehrerin. Sie ist sehr modern. Manchmal haben wir die Hausaufgaben nicht. Dann sagt sie ganz leise: „So geht das nicht!" Aber sie wird nie böse.

**B** Wer kennt den Lehrer? Er hat immer eine Kreide in der Hand. Wenn wir laut sind, wird er ganz böse und brüllt „Ruhe, bitte!" und wirft die Kreide.

**C** Wer hat Angst vor Herrn X? Niemand. Er ist 52 und lebt allein, fast allein. Herr X hat einen Hund. Alle kennen Hasso. Manchmal nimmt Herr X Hasso nämlich mit in die Schule.

**D** Sie ist Englischlehrerin und hat ein Notenbuch. Sie sagt die Noten nicht. Aber wir wissen die Noten trotzdem. Sie vergisst nämlich das Notenbuch immer in der Klasse.

**E** Er ist Deutschlehrer und ganz locker. Er vergisst fast immer etwas, die Tasche oder das Buch. Aber das macht nichts. Und wenn wir etwas vergessen, das Heft zum Beispiel, dann macht das auch nichts.

| alle | niemand |
|---|---|
| immer | nie |
| etwas | nichts |

**a) Wer ist das?**

| A | B | C | D | E |
|---|---|---|---|---|
| ? | ? | ? | ? | ? |

**b)  Richtig oder falsch? Rechenrätsel!**
Niemand hat Angst vor Herrn Weese.
Frau Abel wird immer böse.
Herr Beck hat nie eine Kreide in der Hand.
Alle kennen Herrn Weeses Hund.
Die Englischlehrerin vergisst nie etwas.
Herr Nolte vergisst nichts.

Rechenrätsel   richtig: + 5
                       falsch: - 2
Lösung: 2

## 2. Verflixt!

2 2

▲ Den Aufsatz, bitte! Thomas!
● Verflixt! Ich habe den Aufsatz vergessen!
▲ Aber Thomas! So geht das nicht. Das gibt eine Sechs!
  Wo habe ich denn nur … ?
  Verflixt, ich habe das Notenbuch vergessen!
● Aber Herr Müller!

Macht weitere Dialoge.

| der | Atlas | das | Matheheft | die | Hausaufgabe |
|-----|-------|-----|-----------|-----|-------------|
|     | Malkasten | | Lateinheft | | Matheaufgabe |
|     | … | | … | | … |

**Tipp**
Die Form des Artikels hängt vom Verb ab. Deshalb lerne im ganzen Satz!

### Grammatik

| Nominativ | | | Akkusativ | | |
|-----------|---|--------|-----------|-----|-----------------------|
| Wo ist | der | Aufsatz? | Ich habe | den | Aufsatz vergessen. |
| Wo ist | das | Notenbuch? | Ich habe | das | Notenbuch vergessen. |
| Wo ist | die | Tasche? | Ich habe | die | Tasche vergessen. |
| Wo sind | die | Bücher? | Ich habe | die | Bücher vergessen. |

## 3. Wo ist denn nur … ?

2 3

▲ Verflixt, wo ist denn nur der Schwamm?
  Sagt mal!
  Wer hat den Schwamm?

● Hier ist er doch!   ● Wir nicht!   ● Keine Ahnung!

Macht weitere Dialoge.

| der | Zirkel | das | Klassenbuch | die | Kreide |
|-----|--------|-----|-------------|-----|--------|
|     | Papierkorb | | Lineal | | Landkarte |
|     | Block | | Notenbuch | | Schere |
|     | Zeigestab | | | | |
|     | - - - - - - - | | - - - - - - - | | - - - - - - - - - - |
|     | **er** | | **es** | | **sie** |

Zu Hause ist es genauso. Macht weitere Dialoge.

| der | Schlüssel | das | Telefonbuch | die | Zeitung |
|-----|-----------|-----|-------------|-----|---------|
|     | Föhn | | Fernsehprogramm | | Illustrierte |
|     | Kamm | | Taschenmesser | | Bürste |

**4. Ein Brief**

Ordne den Brief.

**A** Du weißt, ich gehe jeden Montagnachmittag in die Musikschule. Meine Eltern möchten das. Ich habe ja keine Lust. Ich möchte nicht Flöte lernen und Noten schreiben. Und wir haben auch immer so viel Hausaufgaben, Flöte üben und so. Aber bei Hubsi ist der Flötenunterricht toll.

**B** Viele Grüße und bis bald

deine

Susi

**C** Manchmal üben wir zu Hause nicht. Aber Hubsi ist nicht böse. Er fragt: „Was ist denn los? Wo ist das Problem?"

**D** Stuttgart, den ...

Liebe Corri,

wie geht es dir? Mir geht es sehr gut, in der Schule und jetzt sogar auch beim Flötenunterricht.

**E** Wir antworten: „Ach, das Lied ist so schwer." Und er sagt nur: „Na gut, dann spielen wir zusammen." Wir üben in der Schule. Ist das nicht toll? Hubsi ist Spitze!

**F** Wir haben nämlich jetzt Hubsi. Hubsi heißt in Wirklichkeit Alois Hinterhuber. Er ist Musiklehrer (klar!) und neu hier an der Musikschule. Hubsi ist sehr, sehr nett.

Corri schreibt Susi auch einen Brief. Sie findet Hubsi auch toll.
Sie möchte mehr von Hubsi wissen. Sie stellt Fragen:
Wie alt ... ?   Woher ... ?   Wo ... ?

Schreib Corris Brief.

## B Miteinander reden

### 1. Was sagt der Lehrer?

**2 4** Hör zu.

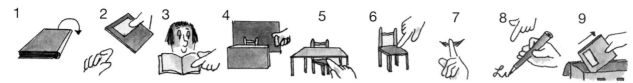

1    2    3    4    5    6    7    8    9

### 2. Was sagt er jetzt?

**2 5** Sieh die Bilder in Aufgabe 1 an. Schreib die Nummern auf.

> **Tipp**
> Achte auf Gestik, Mimik und Intonation deines Gesprächs-partners. Das hilft dir beim Verstehen!

### 3. Komm bitte …!

**2 6**

▲ Peter!
● Hm?
▲ Peter, das heißt „Ja, Herr Müller?"
● Ja, Herr Müller?
▲ Komm an die Tafel!
● Herr Müller, das heißt „Komm doch bitte an die Tafel!"
▲ Du hast Recht, Peter!

---

*Das sagt der Lehrer:*

Komm an die Tafel!
Gib mir das Lateinheft!
Nimm das Buch heraus!
Lies den Text!

Komm doch mal an die Tafel!
Gib mir bitte mal das Lateinheft!
Nimm doch bitte mal das Buch heraus!
Lies doch bitte den Text!

     doch      bitte
         mal

*Das sagt die Mutter:*

Komm her!
Mach die Hausaufgaben!
Geh zu Papa!

Komm doch bitte mal her!
Mach doch bitte die Hausaufgaben!
Geh doch mal zu Papa!

---

Was sagt die Mutter noch? Mach weiter.

## Grammatik

| ich | gebe | nehme |
|---|---|---|
| du | g i bst | n imm st |
| er / es / sie | g i bt | n imm t |
| wir | geben | nehmen |
| ihr | gebt | nehmt |
| sie | geben | nehmen |

| du kommst | Komm ! | ihr kommt | Kommt ! |
|---|---|---|---|
| du gehst | Geh ! | ihr geht | Geht ! |
| du gibst ... her | Gib ... her ! | ihr gebt ... her | Gebt ... her! |
| du nimmst | Nimm ... (heraus)! | ihr nehmt | Nimm ... (heraus)! |
| du bist ⚠ | Sei ...! | ihr seid | Seid ...! |

**Tipp**
Lern Verben wenn möglich in Verbindung mit einer passenden Geste.
Zum Beispiel

 = ruhig sein

### 4. Freundlich (+) – unfreundlich (–)

Was sagt der Schüler?

(–) hergeben

(–) den Brief weitergeben

(+) mitkommen

(+) mir das Mathebuch leihen

(+) meinen Apfel nehmen

### 5. Wir reden in der Gruppe

Zeichnet Karten mit Schulsachen.
Macht ein Fragezeichen ? dazu. Das heißt: eine Frage stellen.
Oder:
Macht ein Ausrufezeichen ! . Das heißt: eine Bitte oder Aufforderung sagen.

Beispiel: ▲ *Wo ist dein Heft ?*    Oder    *Gib mir bitte den Füller !*
■ *Hier.*                                  (Den Füller hergeben).

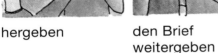

### 6. Hausaufgabe notieren

2 7 Der Lehrer sagt die Hausaufgaben. Hör zu und schreib auf (notiere).

*Du hörst:*    Lest den Text auf Seite 62 im Buch!

*Schreib so:*

| Donnerstag | Freitag |
|---|---|
| *Buch, Seite 62 lesen* | |

# 7. Die SMV (Schülermitverwaltung)

Jede Klasse wählt einen ersten und einen zweiten Klassensprecher. Die Schüler schreiben zwei Namen von Mitschülern auf ein Blatt. Dann zählt ein Schüler an der Tafel die Stimmen.

Der Klassensprecher ist wichtig. Er spricht für die ganze Klasse. Ein Beispiel: Die Klasse versteht die Matheaufgabe nicht. Der Klassensprecher diskutiert das Problem mit dem Mathelehrer.

Die Klassensprecher der Schule (alle Klassensprecher zusammen) bilden die Schülermitverwaltung, die SMV.

Hast du ein Problem? Wir sind die SMV und sind für die Schüler da.
Braucht ihr Hilfe? Kein Problem! Kommt am Montag zur SMV!

a) Was macht die SMV?
   Was meinst du?

| ? | Die SMV hilft den Schülern bei Problemen. |
| ? | Die SMV macht die Hausaufgaben. |
| ? | Die SMV arbeitet in der Schülerbibliothek mit. |
| ? | Die SMV macht Schulpartys. |
| ? | Die SMV ist eine Schülerband. |
| ? | Die SMV hat Kontakt mit dem Schuldirektor. |
| ? | Die SMV macht Fotos. |
| ? | Die SMV spricht mit den Lehrern. |
| ? | Die SMV schreibt Briefe. |
| ? | Die SMV schreibt Zeugnisse. |

b) Wie ist das bei euch?

### 8. Ab heute sagen wir „Sie"

▲ Klaus, haben Sie die Hausaufgaben?
● Wer, ich?
▲ Ja, Sie! Ab heute sage ich „Klaus" oder „Petra" oder „Heidi" und „Sie".
  Sie sind jetzt in der 10. Klasse. Sie sind jetzt erwachsen, oder nicht?
● Und wir sagen jetzt „du", Herr Hesse?

## Grammatik

| | |
|---|---|
| Peter,<br>komm st  du heute?<br><br>Peter und Maria,<br>komm t  ihr heute? | Herr Müller,<br>komm en  Sie heute?<br><br>Herr und Frau Müller,<br>komm en  Sie heute?<br><br>⚠ Wo sind denn Peter und Maria?<br>Kommen s ie heute nicht? |
| du<br><br>Kind ⟳ Kind<br><br>Jugendlicher ⟳ Jugendlicher<br><br>Freund ⟳ Freund<br><br>Verwandter ⟳ Verwandter<br><br>Erwachsener ↗ Kind | Sie<br><br>Kind ↗ Erwachsener<br><br>Jugendlicher ↗ Erwachsener<br><br>Erwachsener ⟳ Erwachsener<br>(keine guten Freunde) |

## 9. Was sagen die Personen?
Ordne den Bildern zu.

1 ■ Herr Kollege, warten Sie bitte!
2 ▲ Herr Wergmann, haben Sie die
Videocassette dabei?
3 ● Ja, bitte?
4 ■ Das Notenbuch!
5 ◆ Videocassette? Was für eine Videocassette?
6 ▲ Na ja, die aus Italien.
7 ● Wie bitte?
8 ◆ O je, die habe ich vergessen.
9 ■ Sie haben das Notenbuch vergessen.
10 ● Wo habe ich es denn?
11 ▲ Was? Sie haben etwas vergessen?
Sie vergessen doch nie etwas.
12 ■ Na hier!
13 ◆ Heute schon. Entschuldigung.
14 ● Ach ja. Vielen Dank.
15 ▲ Na ja, das macht nichts.

| A | 2 | ? | ? | ? | ? | ? | 15 |
|---|---|---|---|---|---|---|---|
| B | 1 | ? | ? | ? | ? | ? | ? |

## Na so was!

Was steht auf dem Blatt?

Wie geht die Geschichte weiter?

## Gebt den Lehrern ein Zeugnis

Auch Lehrer sollen Zeugnisse bekommen. Sind sie nett? Haben sie Humor? Erklären sie gut? Sind sie gerecht? Haben sie Geduld? Wer ein paar Jahre lang schlechte Noten hat, darf nicht mehr als Lehrer arbeiten.
*Peer Seume*

Ich finde die Idee nicht gut. Dann möchte bald keiner mehr als Lehrer arbeiten. Wir lernen nichts und bleiben dumm.
*Nadja Bauer*

Wir Schüler bekommen Zeugnisse. Schlechte Schüler bleiben sogar manchmal sitzen. Aber die Lehrer machen, was sie wollen, und behalten ihren Beruf. Ein Zeugnis für Lehrer ist toll.
*Lisa Blüm*

Ich finde die Idee blöd. Meine Eltern sind Lehrer. Wenn sie ihren Job verlieren, müssen wir unser Haus verkaufen und ich verliere alles, was ich habe.
*Maria Lemke*

Keine schlechte Idee! Mein Deutschlehrer wird schnell böse und wirft Kreide. Er brüllt auch immer sofort, wenn wir laut sind. Der hätte eine Fünf im Zeugnis.
*Maja Bayerle*

Wie finden die Schüler die Idee, gut oder schlecht?

| **Personen beschreiben:** | | **Freundlich miteinander reden:** |
|---|---|---|
| nett | blöd | Gib mir bitte das Heft! |
| sympathisch | unsympathisch | Nimm doch bitte mal das Buch heraus! |
| freundlich | unfreundlich | Lies bitte mal den Text! |
| locker | streng | Komm doch bitte mal her! |
| normal | komisch | Geh doch bitte zu Opa. |
| | | Frau Müller, leihen Sie mir bitte das Buch. |

## 1. Nominativ und Akkusativ

Nomen

| Nominativ | | Akkusativ |
|---|---|---|
| Maskulinum<br>Neutrum<br>Femininum | der Apfel<br>das Lineal<br>die Tasche | den Apfel<br>das Lineal<br>die Tasche |
| Plural | die Schulsachen | die Schulsachen |
| Der Apfel ist rot.<br>Da Lineal ist ganz neu.<br>Wo ist die Tasche?<br>Die Schulsachen sind in der Tasche. | | Schenkst du mir den Apfel?<br>Leihst du mir das Lineal?<br>Ich habe die Tasche vergessen.<br>Nehmt die Schulsachen heraus! |

## 2. Verb

a) Verben mit Vokalwechsel

| | geben | nehmen | vergessen |
|---|---|---|---|
| ich | gebe | nehme | vergesse |
| du | g i bst | n imm st | verg i sst |
| er / es / sie | g i bt | n imm t | verg i sst |
| wir | geben | nehmen | vergessen |
| ihr | gebt | nehmt | vergesst |
| sie / Sie | geben | nehmen | vergessen |

b) Imperativ

| Singular | | Plural | |
|---|---|---|---|
| du gehst | Geh! | ihr geht | Geht! |
| du gibst … her | Gib … her! | ihr gebt … her | Gebt … her! |
| du nimmst | Nimm … (heraus)! | ihr nehmt | Nehmt … (heraus)! |
| ⚠ | Sei …! | ihr seid | Seid …! |

c) Höflichkeitsform

| Sie | komm en | heiß en | sind |
|---|---|---|---|

| Peter,<br>komm st du heute? | Singular | Herr Müller,<br>komm en Sie heute? |
|---|---|---|
| Peter und Maria,<br>komm t ihr heute? | Plural | Herr und Frau Müller,<br>komm en Sie heute? |

## A Freunde! Freunde?

**1. Hunger und Durst**

● Mensch, ich habe so einen Hunger.
Hast du keinen Apfel, oder so was?

▲ Tut mir Leid. Ich
habe auch nichts.

▲ Ich habe noch ein
Brötchen. Hier!

Macht weitere Dialoge.

| der | Joghurt<br>Kuchen<br>Schokoriegel |  | das | Wurstbrot<br>Käsebrot<br>Pausenbrot | die | Banane<br>Birne<br>Orange |
|---|---|---|---|---|---|---|

▲ Ach, ich habe so einen Durst!
● Möchtest du meinen Orangensaft?

Macht weitere Dialoge.

| der | Apfelsaft<br>Kakao |  | das | Mineralwasser |  | die | Milch<br>Limonade |  |
|---|---|---|---|---|---|---|---|---|

### Grammatik

| Nominativ | | | Akkusativ | | |
|---|---|---|---|---|---|
| Hier ist | ein<br>mein<br>dein<br>kein | Apfel. | Möchtest du | ein en<br>mein en<br>dein en<br>kein en | Apfel? |
| Hier ist | ein<br>mein<br>dein<br>kein | Pausenbrot. | Möchtest du | ein<br>mein<br>dein<br>kein | Pausenbrot? |
| Hier ist | eine<br>meine<br>deine<br>keine | Banane. | Möchtest du | eine<br>meine<br>deine<br>keine | Banane? |
| Hier sind | –<br>meine<br>deine<br>keine | Wurstbrote. | Möchtest du | –<br>meine<br>deine<br>keine | Wurstbrote? |

**2. Hör zu**

 Beantworte die Fragen. Sprich die Antworten laut.

a

b

c

d

e

f

g

h

i

 **3. Leihst du mir … ?**

▲ Leihst du mir deinen Cassettenrecorder?

● Ich leihe dir gar nichts.

● Ja klar. Ich brauche ihn nicht.

● Tut mir Leid. Ich brauche ihn selber.

Macht weitere Dialoge.

| der | | das | | die | |
|-----|-------------------|-----|---------------|-----|-------------|
| | Taschenrechner | | Computerspiel | | Kamera |
| | Fußball | | Fahrrad | | Cassette |
| | Plattenspieler | | Comic-Heft | | Schallplatte |
| | CD-Player | | | | CD |

## Grammatik

| Akkusativ | | | | | |
|-----------|-----|-----------|--------------------|-----|--------|
| Leihst du mir | den | Fußball? | Ja klar! Ich brauche | ihn | nicht. |
| | das | Fahrrad? | | es | |
| | die | Cassette? | | sie | |
| | die | Cassetten? | | sie | |

83

**4. Was hast du denn da?**

2 12

▲ Was hast du denn da?
● Einen Cassettenrecorder.
▲ Oh toll. Lass mal sehen.

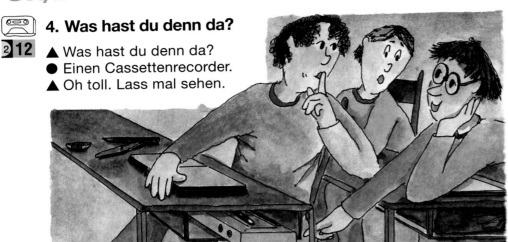

Macht weitere Dialoge.

| der | Walkman<br>Taschenrechner |
| --- | --- |
| das | Computerspiel<br>Comic-Heft |
| die | Kamera<br>CD |

## B   Das ist interessant!

**1. Ein Autogramm**

2 13

▲ He, sieh mal!
● Was ist denn los?
▲ Der Junge da!
● Wer ist denn das?
▲ Ja, kennst du ihn nicht?
● Wen?
▲ Mensch! Den Jungen!
  Das ist doch Rocky Rocknacht,
  der Sänger!
● Wirklich?
▲ Ja, klar! Komm, wir gehen hin.
  Ich möchte ein Autogramm.

Macht weitere Dialoge. Findet selbst Namen.

| der | Mann/Fußballspieler<br>Junge/Filmschauspieler | das | Mädchen/Fotomodell | die | Frau/Sängerin<br>Frau/Schauspielerin |

### Grammatik

| Nominativ | Akkusativ |
| --- | --- |
| Was  ist das?<br>   Ein Cassettenrecorder. | Was  hast du denn da?<br>   Einen Cassettenrecorder. |
| Wer  ist das?<br>   Ein Junge. |    Kennst du ihn nicht?<br>Wen ?<br>   Den Jungen. |

## 2. Das schwarze Brett

**1** Wir möchten eine Schülerband gründen. Wer spielt Gitarre, Klarinette oder Klavier? Bitte bei Rolf in der 9c melden.

**2** Wer möchte einen Hund? Unsere Hündin Bella hat Junge. Sie sind vier Wochen alt und ganz lieb.
Anfragen bei Anke in der 6b.

**3** Mein Turnzeug ist weg. Robby 5b.

**4** An alle Mathegenies! Ich verstehe Geometrie und Algebra nicht. Wer gibt mir Nachhilfestunden? Für EUR 4,— die Stunde.
Bitte bei Jens in der 8a melden.

**5** Hallo, Musikfreunde! Wer hat die erste Platte von Rocky Rocknacht? Ich möchte sie auf Cassette aufnehmen. Wer leiht mir die Platte? Danke. Joggi 7b.

**6** PARTY! Am Freitag macht die Klasse 8b eine Party in der Turnhalle. Wir haben tolle Musik, Limonade und Brötchen. Kommt Ihr auch? Karten für EUR 2,— bei Sven, Alex und Hansi in der 8b.
Turnschuhe mitbringen!

**A** Das habe ich doch. Na ja, ich bringe es gleich hin.

**B** Ach, ich möchte so gern einen. Aber was sagt meine Mutter?

**C** Die möchte ich auch haben.

**D** Ich möchte so gern hingehen. Aber das geht nicht. Wir sind ja bei Oma.

**E** Ich habe eine Eins. Das mache ich.

**F** Das ist ja interessant. Aber ich spiele vielleicht nicht so gut.

a) Wer liest was?

| 1 | 2 | 3 | 4 | 5 | 6 |
|---|---|---|---|---|---|
| ? | ? | ? | ? | ? | ? |

b) Schreibe selbst einen Zettel für das schwarze Brett.

## 3. Fragen und Antworten

Lies noch einmal die Anzeigen auf Seite 85.

1. (S) ▢▢ sucht Rolf?
5. (B) ▢▢ sucht Joggi?
2. (H) ▢▢ hat kleine Hunde?
6. (E) ▢▢ macht am Freitag eine Party?

3. (A) ▢▢ sucht Robby?
4. (Z) ▢▢ braucht Jens?

(R) Das Turnzeug.
(E) Einen Nachhilfelehrer.
(T) Die Klasse 8b.
(C) Einen Gitarristen, Klarinettisten oder Klavierspieler.
( R) Die erste Platte von Rocknacht.
(W) Anke.

a) Was passt? Lösung: DAS

| 1 | ? | 2 | ? | 3 | ? | 4 | ? |
|---|---|---|---|---|---|---|---|
| ? | ? | ? | ? | ? | ? | ? | ? |

| 5 | ? | 6 | ? |
|---|---|---|---|
| ? | ? | ? | ? | T

b) Setz ein: Wer? Wen? Was?

## 4. Spiel: Quartett

rot    grün    gelb    blau    schwarz    weiß    braun

### Vorbereitung:

Ein Spiel hat mindestens vier Quartette. Vier Karten sind ein Quartett.

So machen wir Spielkarten:
1. Jedes Quartett, also immer vier Karten bekommen ein Zeichen, zum Beispiel ▲. Sie passen zusammen.
2. Wählt die Dinge für die Quartette und malt auf jede Karte eins, zum Beispiel: *Bleistift, Füller, Spitzer, Radiergummi.*
3. Ihr könnt auch jedem Quartett eine andere Farbe geben. Schreibt die Wörter genauso wie auf dem Bild.

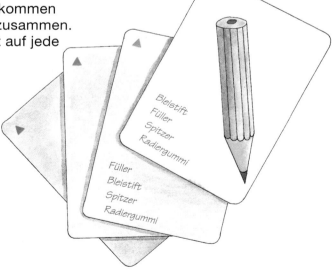

### So geht das Spiel:

Jeder Spieler bekommt gleich viele Karten. Du schaust deine Karten an. Hast du mindestens eine Karte von einem Zeichen, fragst du einen Mitspieler:

Hast du einen / ein / eine ... ?
Hast du den / das / die ... ?
Ich möchte den / das / die ...
Ich brauche einen / ein / eine ...

Wenn ein Mitspieler die Karte hat, bekommst du die Karte und spielst weiter.
Wenn er die Karte nicht hat, spielt er weiter.

Gewinner ist, wer die meisten Quartette hat.

**5. Warum?**

# Das TopMagazin

Markus, 14
an seine Mutter

Warum magst du meine
Musik nicht? Warum gehst
du nie mit mir ins Kino?
Ich weiß, mein Zimmer ist
oft unordentlich. Aber
warum musst du immer
gleich schimpfen?
Warum bist du nicht einmal
ein bisschen modern?

Thomas, 15
an seinen Freund

Warum gehen wir immer
zu dir zum Fernsehen?
Warum leihst du dir
immer Geld und gibst es
nicht zurück?
Warum hast du keine
Lust auf Sport?

Carina, 15
an ihre Freundin

Warum hast du am Samstag
nie Zeit? Warum bist du
immer so komisch, wenn wir
mit Katrin und Elke zu-
sammen sind? Warum hören
wir immer nur deine
Musik?

 Schreib auch so einen Brief.

Wie ist die Reaktion der drei Personen?

*Warum?*

*Die Mutter sagt:*

Das stimmt ja gar nicht. | Ich mag deine Musik.
Ich schimpfe doch nicht gleich.
…

*oder:*

Ja, das stimmt schon. | Aber du bist immer so unordentlich. Und ich muss so viel arbeiten.
Ich bin nun mal nicht so modern, aber das macht doch nichts.
…

Schreib: Was sagen der Freund/die Freundin?

---

**Grammatik**

| Warum ? | |
|---|---|
| Warum bist du so? | Ich bin eben so. |
| Warum hast du nie Zeit? | Ich habe doch Zeit. |

| ich | mag |
|---|---|
| du | magst |
| er / es / sie | mag |
| wir | mögen |
| ihr | mögt |
| sie/Sie | mögen |

Ich mag | Popmusik.    = *richtig*
Sport.

~~Ich mag~~ ~~Tennis spielen.~~    = *falsch*

⚠ Ich spiele gern Tennis.

**6. Frag deinen Partner**

▲ Magst du | Popmusik?
den Schwarzwald?
Pizza?
Herrn/Frau …?
Tiere?
…

● | Ja, sehr.
Ja.

● Nicht so sehr.
Überhaupt nicht.
Nein.

▲ Warum?

▲ Warum nicht?

● Ich finde, | er ist …
sie ist …
sie sind …

● Ich höre lieber …
Ich fahre lieber …
Ich esse lieber …
Ich finde, | er ist …
sie ist …
sie sind …

## *Na so was!*

 **14  Sonny Glück**

■ Hallo, Freunde, hier ist Radio Top mit dem Special-Interview
am Samstag. Heute geht es um das Thema „Anders sein und
anders leben". Wir haben hier einen besonderen Gast, Herrn
Sonny Glück. Herr Glück, heißen Sie wirklich so?

▲ Nein, eigentlich heiße ich Andreas Humpe, aber ich finde
Sonny Glück besser. Ich bin nämlich glücklich, wissen Sie?

■ Warum sind Sie so glücklich?

▲ Ja, ich lebe so, wie ich will.

■ Wie alt sind Sie denn, wenn ich fragen darf?

▲ Fünfundzwanzig.

■ Aha, und wo wohnen Sie?

▲ Überall. Ich habe keine feste Adresse.

■ Und was machen Sie?

▲ Alles, was Spaß macht. Ich muss nichts machen, was
mir keinen Spaß macht. Ich schlafe so lange ich will, ich
mache Reisen, nach Amerika, Indien, Neuseeland, in die
Südsee, ich gehe schwimmen oder ins Kino ... ich mache
lauter schöne Dinge.

■ Ja, aber für das Leben braucht man doch Geld!

▲ Ach, nicht so viel! Wissen Sie, ich habe eine Gitarre, und wenn ich Geld brauche,
setze ich mich auf die Straße und spiele. Dann geben mir die Leute was.

■ Und das ist genug?

▲ Ja. Ein bisschen sparsam muss man schon sein, und ein bisschen Glück
muss man auch haben!

■ Na dann, viel Glück, Herr Glück!

 a) Wie findest du Sonny Glück? Möchtest du auch so sein?
b) Stell dir Sonny in 30 Jahren vor! Was macht er dann?

## Mathenachhilfe

1  Hein ist schlecht in Mathe. Er hat eine Fünf. „So geht das nicht
weiter. Du brauchst Nachhilfestunden", sagt Heins Mutter. „Oh
nein!" ruft Hein. „Bitte nicht! Ich hasse Mathe!" „Hör zu. Wir machen
es so", sagt Heins Mutter. „Du nimmst Nachhilfestunden. Und ich
5  schimpfe nicht mehr über deine laute Musik." Hein stöhnt. „Na gut",
sagt er.
„Was mache ich denn?", fragt Hein seine Freunde am nächsten Tag.
Es ist Pause. „Frag doch die schlaue Petra", sagt Tina. Alle lachen.
Petra ist neu in der Klasse. Aber sie hat noch keine Freunde.
10  Auf dem Schulhof ist sie immer allein. „Warum nicht?", denkt Hein.
Er geht zu Petra. „Sag mal, kannst du mir bei den Mathe-Hausauf-
gaben helfen?", fragt er. „Gern", sagt Petra.
Am Nachmittag kommt Petra zu Hein. Sie erklärt die Aufgaben
sehr gut. Danach hören Hein und Petra Musik.
15  Petra kommt nun jeden Montag zu Hein. Hein findet Petra ganz süß.
Am liebsten möchte er jetzt jeden Tag Mathe lernen.

> **Tipp**
> Beim Verstehen hilft, wenn du eine Geschichte in einzelne Szenen teilst und diesen Szenen eine Überschrift gibst.

### 1. Richtig oder falsch?

a) Hein braucht Nachhilfe in Musik.
b) Petra ist neu in der Klasse. Sie hat Freunde auf dem Schulhof.
c) Hein sucht einen Nachhilfelehrer. Er fragt Petra.
d) Petra ist eine gute Nachhilfelehrerin.
e) Petra kommt jetzt jeden Tag zu Hein.

### 2. Antworte.

a) Was hat Hein in Mathe?
b) Warum möchte Hein zuerst keine Nachhilfestunden?
c) Hein sucht einen Nachhilfelehrer. Wen fragt er?
d) Warum ist Petra immer allein auf dem Schulhof?
e) Was machen Hein und Petra am Nachmittag?
f) Was macht Hein immer am Montag?
g) Hein möchte jetzt am liebsten jeden Tag Mathe lernen. Warum?

## Mädchen

Jungen glauben immer, sie sind super
und die Mädchen sind dumm.
Anja, 15

Die Jungen helfen nie im Haus.
Immer müssen wir das machen.
Barbara, 13

## Jungen

Mädchen mögen Fußball nicht.
Sie sitzen lieber zusammen
und reden. So'n Quatsch!
Stefan, 14

Auf Mädchen muss man immer warten.
Sie sind nie pünktlich.
Christian, 16

### Wie passt das zusammen?
Lest die Aussagen und macht Sätze. Stimmt das alles?

Mädchen
Alle Mädchen
Viele Mädchen

Jungen
Alle Jungen
Viele Jungen

... machen immer/nie die Hausarbeit.
... lernen gern/nicht gern.
... sind in Mathe und Informatik gut/nicht gut.
... sind immer/nie nett und freundlich.
... haben viel/wenig Freizeit.
... gehen früh/spät schlafen.
... spielen gern/nicht gern Fußball.

## Lernwortschatz

### Essen und Trinken in der Pause:

der Joghurt
der Kuchen
der Schokoriegel
das Wurstbrot
das Käsebrot
das Pausenbrot
die Banane

die Birne
die Orange
der Apfelsaft
der Kakao
das Mineralwasser
die Milch
die Limonade

### die Farben

rot
grün
gelb
blau

schwarz
weiß
braun

## Grammatik

### 1. Nominativ und Akkusativ

a) Nomen

| Nominativ, Singular | | | | | | Akkusativ, Singular | | | | | |
|---|---|---|---|---|---|---|---|---|---|---|---|
| Maskulinum | | Neutrum | | Femininum | | Maskulinum | | Neutrum | | Femininum | |
| der<br>ein<br>mein<br>dein<br>kein | Apfel | das<br>ein<br>mein<br>dein<br>kein | Lineal | die<br>eine<br>meine<br>deine<br>keine | Tasche | den<br>ein en<br>mein en<br>dein en<br>kein en | Apfel | das<br>ein<br>mein<br>dein<br>kein | Lineal | die<br>eine<br>meine<br>deine<br>keine | Tasche |
| Nominativ, Plural | | | | | | Akkusativ, Plural | | | | | |
| die<br>–<br>meine<br>deine<br>keine | Schulsachen | | | | | die<br>–<br>meine<br>deine<br>keine | Schulsachen | | | | |

b) Personalpronomen, Akkusativ (3. Person Singular/Plural)

| Akkusativ | | | | | |
|---|---|---|---|---|---|
| Leihst du mir | den | Fußball? | Ja, klar! Ich brauche | ihn | nicht. |
| | das | Fahrrad? | | es | |
| | die | Cassette? | | sie | |
| | die | Cassetten? | | sie | |

c) Fragepronomen

| Nominativ | Akkusativ |
|---|---|
| *Sachen:*<br>Was ist das?<br>Ein Cassettenrecorder. | *Sachen:*<br>Was hast du denn da?<br>Einen Cassettenrecorder. |
| *Personen:*<br>Wer ist das?<br>Der Mathelehrer. | *Personen:*<br>Wen kennst du hier?<br>Den Jungen da. |
| Warum?<br><br>Warum musst du immer schimpfen?<br>Ich schimpfe doch gar nicht.<br>Warum bist du so unordentlich?<br>Ich bin eben so. | |

## 2. Satz

| Subjekt | Verb | Akkusativ-Objekt |
|---|---|---|
| Das Mädchen | hat | den Ball. |
| Ich | sehe | einen Mann. |

## 3. Verb

| ich | mag |
|---|---|
| du | magst |
| er/es/sie | mag |
| wir | mögen |
| ihr | mögt |
| sie/Sie | mögen |

| Ich mag | Popmusik. |
|---|---|
| Du magst | Limonade. |
| Er mag | Maria. |
| | deinen Vater. |

mögen + Nomen (Akkusativ) = *richtig*

~~mögen + Verb~~ = *falsch*

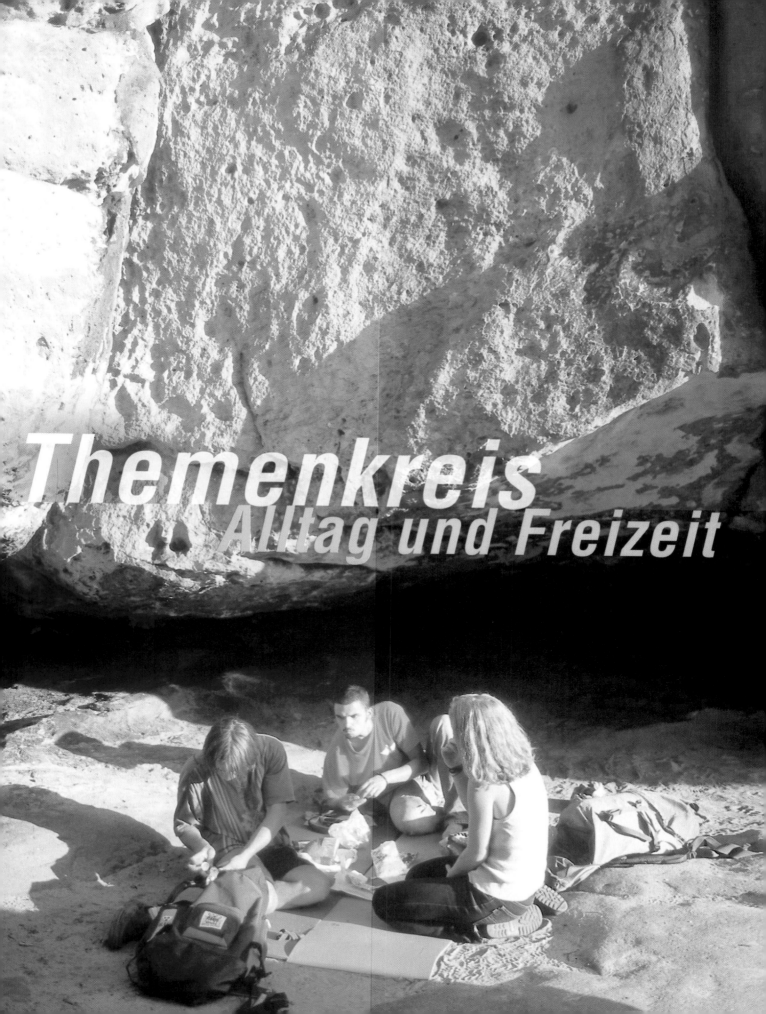

# Themenkreis
## Alltag und Freizeit

**Das lernst du:**

- die Uhrzeit

- die Jahreszeiten

- etwas über Hobbys

- etwas über Berufswünsche

- die Tageszeiten

- wohin man in der Freizeit gehen kann

- die Himmelsrichtungen

- wie man jemanden einlädt

- wohin man in den Ferien fahren kann

- wie man Personen und Sachen beschreibt

- etwas über Essen und Trinken in Deutschland

Freunde treffen

Musik hören

fotografieren

Rad fahren

Computerspiele

Gitarre spielen

ins Kino gehen

reiten

Briefmarken sammeln

tanzen

schwimmen

reisen

fernsehen

Peter hat frei. – Welche Hobbys hat er? Schau seine Sachen an.

## A  Welche Hobbys hast du?

**Tipp**
Achte auf Wörter, die du schon kennst. Dann kannst du den Text besser verstehen.

**1. Hobbys heute und damals**

**Heute**

**Damals**

Klaus ist 16.
Er spielt am liebsten Fußball.
Und im Winter?
Da geht er ins Kino.

Hildegard ist am Abend zu Hause.
Die ganze Familie sitzt zusammen und die Frauen sticken oder stricken.

Marina ist 15.
Sie trifft gern Freunde.
Sie sitzen zu-sammen und hören Musik.
Am Samstag gehen sie tanzen.

Maria ist sehr modern.
Sie spielt im Sommer gern Tennis.
Ist sie nicht schick?

Jens ist ein Computerfan.
Er sitzt immer am Computer und spielt…
oder er sieht fern.

Schau Albert an!
Am Wochenende geht er wandern, denn er möchte neue Pflanzen finden.
Er sammelt Pflanzen und Schmetterlinge.

Cornelia hört gern Musik.
Aber sie ist auch sportlich.
Sie fährt gern Rad, auch lange Strecken,
15 Kilometer und mehr.

Berta ist 17, sie spielt schon vier Jahre Klavier.
Jetzt möchte sie auch Geige lernen.

Was sind die Hobbys von heute / von damals?

 Was sind deine Hobbys? Frag auch deinen Partner.

## 2. Telefongespräch

2 15
● Hallo, Claudia! Hier ist Bärbel.
▲ Hallo! Na, wie geht's?
● So lala. Ich mache gerade Hausaufgaben.
 Aber ich habe gar keine Lust. Und du?
▲ Ich sehe gerade fern.

● Und was machst du später?
▲ Ich kaufe nachher ein, für meine Party.
 Kommst du mit?
● Au ja. Du, meine Mutter kommt.
 Ich mach' jetzt Schluss.
▲ Okay. Tschüs.
● Tschüs, bis nachher.

Macht weitere Dialoge.

● 
aufräumen①
Vokabeln abschreiben
Mathe machen
Klavier üben

▲ (gerade)
Fotos einkleben②
CDs einordnen③
Musik hören
Gitarre spielen

▲ (nachher)
Rad fahren
ausgehen
spazieren gehen
Tennis spielen

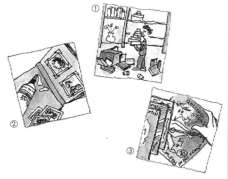

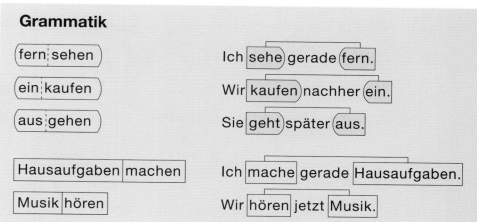

## Grammatik

| fern¦sehen | | Ich | sehe | gerade | fern. |
| ein¦kaufen | | Wir | kaufen | nachher | ein. |
| aus¦gehen | | Sie | geht | später | aus. |

| Hausaufgaben | machen | | Ich | mache | gerade | Hausaufgaben. |
| Musik | hören | | Wir | hören | jetzt | Musik. |

## 3. Hobby-Hitliste

Lena:

1 Musik hören
2 tanzen
3 reiten          – Rad fahren

Lena reitet gern.

Aber sie tanzt lieber.

Und sie hört am liebsten Musik.

Sie fährt nicht so gern Rad.

| + | gern(e) |
|---|---------|
| ++ | lieber |
| +++ | am liebsten* |
| – | nicht so gern |

*Mein Lieblingshobby ist …

Thomas:

1 Gitarre spielen
2 lesen
3 fernsehen          – Fußball spielen

a) Was macht Thomas gern / lieber …?
b) Schreib deine Hobbyliste.
c) Frag deinen Partner:
 Was ist dein Lieblingshobby?
 Was machst du …?
 Was machst du lieber, … oder …?

### 4. Die Neue

2 16   Was ist richtig (r), falsch (f)?

a) Jakob geht heute Nachmittag schwimmen.
b) Carina tanzt gerne.
c) Carina spielt morgen Tennis.
d) Carina hat morgen keine Zeit.
e) Thomas macht morgen ein Fest.
f) Carina macht Samstag ein Fest.

## B   Tag für Tag

### 1. Willi Weiß …

Willi Weiß wohnt in Wiesbaden. Er hat viele Hobbys:

Am Montag malt er,
am Dienstag diskutiert er,
am Mittwoch macht er Musik.

*hoppla*

am Tonnerstag tanzt er,
am Freitag …

Frühling

Sommer

Herbst

Winter

| Was macht er | am Freitag? |
|---|---|
| | am Samstag? |
| | am Sonntag? |

| Was macht er | im Frühling? |
|---|---|
| | im Sommer? |
| | im Herbst? |
| | im Winter? |

   ### 2. Frag deinen Partner

Was machst du am …?

| Was machst du | am Abend |
|---|---|
| | am Vormittag |
| | am Montagabend? |
| | am Dienstagvormittag |
| | … |

am Morgen

am Vormittag

am Mittag

am Nachmittag

am Abend

in der Nacht

### Grammatik

| am Abend | am Dienstag | im Frühling |
|---|---|---|
| am Vormittag | am Sonntag | im Herbst |

| Ich | gehe | am Abend | tanzen. |
|---|---|---|---|
| Am Abend | gehe | ich | tanzen. |
| Willi | macht | am Mittag | Musik. |
| Am Mittag | macht | Willi | Musik. |

 in der Nacht

## 3. Kommst du mit?

 2 17

▲ Ich gehe am Freitag schwimmen.
  Kommst du mit?

● Am Freitag? Tut mir Leid.
  Am Freitag habe ich keine Zeit.

● Am Freitag? Ja, das geht.
  Ich komme gerne mit.

 Macht weitere Dialoge.

▲

| am Montag/Dienstag … | tanzen gehen | ● ins Kino gehen |
| heute | einkaufen gehen | bei Peter/Oma … sein |
| morgen | Fußball spielen | fernsehen |
| … | … | … |

## 4. Was passiert um ein Uhr?

2 18

▲ Thomas?
● Hm?
▲ Wie viel Uhr ist es denn?
● 5 nach halb 10.
▲ Noch 3 Stunden und 25 Minuten.

▲ Thomas, wie spät ist es jetzt?
● 20 vor 10.
▲ Noch drei Stunden und 20 Minuten.

▲ Du, wie viel Uhr ist es?
▲ Fünf vor 10.
▲ Noch drei Stunden und fünf Minuten.

5 vor …    5 nach …
10 vor …    10 nach …
Viertel vor …    Viertel nach …
20 vor …    20 nach …
5 nach halb …    5 vor halb …
halb …

 Macht den Dialog mit den Uhrzeiten unten weiter.

10.05    10.15    10.25    11.45    12.35    12.50

Wie viel Uhr ist es jetzt?

## 5. Hör zu

2 19
a) Wann fährt der Bus?
b) Wie spät ist es? (Wie viel Uhr ist es?)
c) Welcher Tag ist heute?

---

### Grammatik

um  ein Uhr
um  halb drei

Der Bus  fährt  um  sieben Uhr.

## 6. Komm schon!

▲ Los! Jetzt komm schon!
Das Kino fängt um halb 8 an.
● Na und? Wir brauchen doch nur 10 Minuten.

▲ Du hast Recht.
Wir haben noch
Zeit.

▲ Spinnst du?
Wir brauchen
mindestens eine
Viertelstunde.

Macht weitere Dialoge.

▲ die Party    mindestens
eine halbe Stunde

die Tennisstunde    mindestens
20 Minuten

das Fußballspiel    mindestens
eine Dreiviertelstunde

das Konzert    mindestens
25 Minuten

## 7. Claudias Tag

Ⓐ Ich stehe auf. Das ist so schwer.
Ich packe meine Schultasche.
Ich frühstücke schnell.

Ⓑ Ich mache Hausaufgaben und lerne.
Wir schreiben morgen eine
Mathearbeit.

Ⓒ Wir treffen Elke und Thomas.
Wir gehen zusammen ins Kino.

Ⓓ Ich komme nach Hause. Meine Mutter
ruft: „Ab ins Bett!" Ich sage „Ja, ja", aber
ich lese heimlich noch ein bisschen.

Ⓔ Der Lehrer kommt, und die Stunde
fängt an. Ich möchte am liebsten
blaumachen.

Ⓕ Der Bus kommt. Ich fahre in die
Schule und treffe meine Freundinnen.
Wir reden ein bisschen.

Ⓖ Ich bin fertig. Ich gehe zu Monika.
Wir hören zusammen Musik von
BAP (meine Lieblingsgruppe).

Ⓗ Ich fahre nach Hause. Es gibt
endlich Mittagessen. Ich habe so
einen Hunger!

a) Was macht Claudia wann?

| 6 | 7 | 8 | 13 | 15 | 17 | 18 | 21 | Uhr |
|---|---|---|----|----|----|----|----|-----|
| ? | ? | ? | ?  | ?  | ?  | ?  | ?  |     |

Sprich so: Um sechs Uhr steht sie
auf.
Um sieben ...

b) Frag deinen Partner:
Was machst du um 6 Uhr?
(Antwort: Um 6 Uhr...)
Was machst du um ... ?

c) Wie ist das bei dir?
Schreib auf: Um sechs Uhr schlafe ich
noch / stehe ich auf ...

## 8. Claudia muss/kann …

a) müssen

*Claudias Montag, Dienstag…*

Sie muss um 6 Uhr aufstehen.
Sie muss … (Schau im Text nach.)

Was musst du jeden Tag machen?

b) können

*Claudias Samstag und Sonntag:*

Sie kann lang | schlafen.
| fernsehen.
| lesen.
| ausgehen.
| aufbleiben.

Und dein Wochenende?

**Grammatik**

Sie [muss] um 6 Uhr )aufstehen.    Sie (kann) lang )schlafen.

| ich | muss | kann |
| du | musst | kannst |
| er / es / sie | muss | kann |
| wir | müssen | können |
| ihr | müsst | könnt |
| sie / Sie | müssen | können |

Ich [möchte] heute Gitarre )spielen.

**Tipp**
Finde deine Grammatikregeln selbst. Dann helfen sie dir wirklich.

## 9. Beschreibe deinen Sonntag

Schreib so: Ich schlafe bis 11 Uhr. Dann …

## 10. Ich kann heute nicht …

● Ich gehe ins Kino.
  Kommst du mit?
▲ Tut mir Leid. Ich kann heute
  nicht ins Kino gehen.
  Ich muss noch Mathe lernen.

Macht weitere Dialoge.

●

Tennis spielen
schwimmen
Fußball spielen
…

▲

heute | Hausaufgaben machen
jetzt | Gitarre üben
| einkaufen
| …

# 9c

## C  Was möchtest du werden?

### 1. Berufe

Was passt zusammen? (1f, ...)

1. Astronaut(in)
2. Filmschauspieler(in)
3. Steward(ess)
4. Rennfahrer(in)
5. Pilot(in)
6. Reporter(in)
7. Sänger(in)
8. Manager(in)
9. Nachtwächter(in)

a) viel reisen und Leute kennen lernen
b) schnell fahren
c) nachts lesen
d) die Welt kennen lernen
e) Musik machen
f)  in den Weltraum fliegen
g) viel Geld verdienen
h) Filme machen und Autogramme geben
i)  Filmstars und Politiker kennen lernen

### 2. Ich möchte Fußballspieler werden

2|22

▲ Was möchtest du einmal werden?
● Fußballspieler natürlich.
▲ Warum denn das?
● Oh, da kann man viel Geld verdienen, und es macht Spaß.

 a) Macht weitere Dialoge mit den Berufen aus Aufgabe 1. So kannst du auch sagen:

| Es ist | interessant. |
|---|---|
| | aufregend. |
| | spannend. |
| | nicht anstrengend. |

b) Was möchtest du mal werden? Und warum?

### Grammatik

man: unbestimmte Personen, zum Beispiel *die Leute* oder *ich, wir; du, ihr*.
Da kann man viel Geld verdienen.
Da kann man viel reisen.

## 3. Wir reden in der Gruppe

Schreibt Karten zum Thema „Alltag und Freizeit":

| | | |
|---|---|---|
| *Alltag und Freizeit*<br>**Berufe** | *Alltag und Freizeit*<br>**Hobby** | *Alltag und Freizeit*<br>**Alltag** |

Karte ziehen, Frage stellen, antworten.

Beispiele:
- ■ Was möchtest du mal werden? Und warum?
- ● Ich möchte Pilot werden. Da kann man die Welt kennen lernen.

- ■ Was ist dein Lieblingshobby?
- ● Fußball spielen.
- ■ Was muss man da machen?
- ● Viel trainieren.

- ■ Wann musst du in die Schule?
- ● Um halb acht:
- ■ Wann kannst du lange schlafen?
- ● Am Sonntag.

## *Na so was!*

**2 23**

Ich möchte Fußballspieler werden.
Ach, warum denn das?
Da kann man Geld verdienen
und es macht viel Spaß.

Ich möchte Pilotin werden.
Ach, warum denn das?
Da kann man die Welt kennen lernen
und es macht viel Spaß.

Ich möchte gern Rennfahrer werden.
Ach, warum denn das?
Da kann man so richtig schnell fahren
und es macht viel Spaß.

**2 24**

Macht weitere Strophen.

**Tipp**
Achte besonders auf die
Wörter, die du schon kennst.
Die anderen kannst du oft mit
Hilfe des Kontextes erraten.

## Wenn Jungen auf eine Freundin warten

1   Leo ist 14 Jahre alt. Er wohnt in Berlin. Er hat viele Hobbys. Er hört
gern Musik, am liebsten von Queen. Er spielt Gitarre. Am Abend übt er
von halb sechs bis Viertel nach sechs. Oder er sitzt am Computer. Am
liebsten aber spielt er mit seinen Freunden Fußball.

5   Jetzt hat Leo eine Freundin. Sie heißt Julia. Er mag sie sehr gern. Leo
trifft Julia heute Nachmittag. Er ist ein bisschen nervös.
Leo kommt um halb zwei aus der Schule. Es gibt schon Mittagessen:
Spaghetti. Aber Leo isst nichts. Er hat keinen Hunger. „Was hast du?",
fragt die Mutter. „Nichts", sagt Leo. „Ich muss um Viertel nach zwei in

10  die Stadt fahren. Ich treffe Julia." „Soso", sagt die Mutter.
„Du musst Julia Schokolade kaufen. Mädchen mögen sowas," sagt
Klaus, Leos Bruder.
Es ist jetzt Viertel nach zwei. Leo muss los. Er fährt mit dem Fahrrad
in die Stadt. Er braucht nur zwanzig Minuten. In der Stadt kauft er

15  Schokolade. Für Julia. Es ist Viertel vor drei. Leo wartet und wartet.
Er ist noch immer nervös. Aber er hat auch Hunger. Er kann ja ... Das
ist eine gute Idee. Nur ein einziges Stück!
Julia kommt um zehn nach drei. „Tut mir Leid", sagt sie, „ich bin nie
pünktlich." „Hier", sagt Leo. „Schokolade." „Oh!" sagt Julia. „Wie nett!

20  Ich esse gern Schokolade." „Ja", seufzt Leo, „ich auch." Es sind
gerade noch drei Stück Schokolade da.

## 1. Antworte
a) Welche Hobbys hat Leo?
b) Wer ist Julia?
c) Warum ist Leo nervös?
d) Wann kommt Leo aus der Schule?
e) Warum isst Leo nichts?
f) Was möchte Leo nach dem Essen/heute Nachmittag machen?
g) Wie fährt Leo in die Stadt?
h) Warum isst Leo Julias Schokolade?

## 2. Was ist richtig? Was ist falsch?
a) Leo hört gern Musik und spielt Lieder von Queen.
b) Am Abend übt Leo eine halbe Stunde Gitarre.
c) Leos Lieblingshobby ist Fußball.
d) Julia ist neu in Leos Klasse.
e) Leo kommt um 13.30 Uhr aus der Schule.
f) Leo und Julia gehen heute zusammen in die Stadt.
g) Klaus meint, Mädchen essen gern Schokolade.
h) Um 14.35 Uhr ist Leo in der Stadt.
i) Julia kommt pünktlich um zehn nach drei.

## Lernwortschatz

### Hobbys:

| | | |
|---|---|---|
| Freunde treffen | reiten | tanzen |
| Musik hören | reisen | fernsehen |
| Gitarre spielen | Rad fahren | lesen |
| ins Kino gehen | Briefmarken sammeln | Tennis/Fußball/Basketball/ |
| schwimmen | computern | Volleyball spielen |

### Die Uhrzeit:

| | | |
|---|---|---|
| acht Uhr | 5 vor acht | 20 vor acht |
| halb acht | 5 nach acht | 20 nach acht |
| Viertel vor acht | 5 vor halb acht | |
| Viertel nach acht | 5 nach halb acht | |

### Die Jahreszeiten:

| | |
|---|---|
| der Frühling | der Herbst |
| der Sommer | der Winter |

### Die Tageszeiten:

| | |
|---|---|
| der Morgen | der Nachmittag |
| der Vormittag | der Abend |
| der Mittag | die Nacht |

### Einige Berufe:

| | | |
|---|---|---|
| Astronaut(in) | Rennfahrer(in) | Sänger(in) |
| Filmschauspieler(in) | Pilot(in) | Manager(in) |
| Steward(ess) | Reporter(in) | Nachtwächter(in) |

## Grammatik

### 1. Präpositionen

Zeit

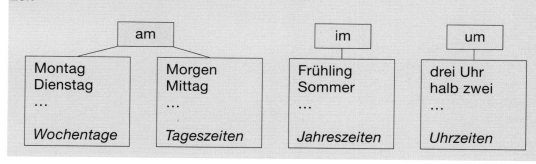

## 2. Satz

| Subjekt | Verb | Zeit |
|---|---|---|
| Der Bus | kommt | um acht Uhr. |
| Willi | diskutiert | am Dienstag. |

Inversion

| Ich | gehe | am Freitag ins Kino. |
|---|---|---|
| Am Freitag | gehe | ich ins Kino. |
| Julia | kommt | um neun Uhr. |
| Um neun Uhr | kommt | Julia. |

⚠ Verb: immer in Position 2!

## 3. Pronomen

Das unbestimmte man

Man kann Geld verdienen.
Man lernt die Welt kennen.

## 4. Verb

a) Modalverben *können* und *müssen*

Die Hausaufgaben sind fertig.     Jetzt ⟩ kann     ich zu Monika ⟩ fahren.
Es ist noch nicht so spät.        Wir  ⟩ können   noch zu Monika ⟩ fahren.

Es ist Montag.                    Claudia      ⟩ muss    um 6 Uhr      ⟩ aufstehen.
Es ist schon halb acht.           Die Schüler  ⟩ müssen  in die Schule ⟩ fahren.

| ich | kann |
|---|---|
| du | kannst |
| er / es / sie | kann |
| wir | können |
| ihr | könnt |
| sie / Sie | können |

| ich | muss |
|---|---|
| du | musst |
| er / es / sie | muss |
| wir | müssen |
| ihr | müsst |
| sie / Sie | müssen |

|  | Modalverb | Zeit/Ort | Infinitiv |
|---|---|---|---|
| Ich | kann | ins Kino | gehen. |
| Maria | kann | heute | kommen. |
| Ihr | müsst | jetzt | Hausaufgaben machen. |
| Du | musst | in die Schule | fahren. |

b) trennbare Verben

(fern¦sehen)  Ich  (sehe)  jetzt  (fern).
              Ich  kann    jetzt  (fern¦sehen).

(ein¦kaufen)  Wir  (kaufen)  nachher  (ein).
              Wir  können    nachher  (ein¦kaufen).

(auf¦räumen)  Claudia  (räumt)  jetzt  (auf).
              Claudia  muß      jetzt  (auf¦räumen).

*Imperativ*:  (Räum)(auf)!    (Räumt)(auf)!
              (Komm)(her)!    (Kommt)(her)!

# Was machen wir heute?

**1** ZOO KALENDER
▶ Samstag, 1. April um 11 Uhr Eröffnung des REGENWALDs

**10**

**A**

**2**

**3** Kino für UFA Köln
Filmprogramm
vom 05. bis 11. Oktober 2000

**B** UFA PALAST

**C** Gelateria Cafeteria P. Romana
EIS · CAFÉ · PORT · ROMANA

**4**

**5** Müngersdorfer Stadion
Aachener Straße, 50933 Köln
Gothaer Versicherungen
Köln Ticket
1. FC Köln – Bayer 04 Leverkusen
VPV VERSICHERUNG
Eingang 29   Reihe 11   Platz 19
Inclusive Gebühren
(EUR 24,03)   47,00
taxofit

**E**

**D** ZOO

CIRCUS PROSCH...

a) Was passt zusammen?

| A | B | C | D | E |
|---|---|---|---|---|
| ? | ? | ? | ? | ? |

b) Was machst du in deiner Freizeit am liebsten?

## A Wer geht wohin?

### 1. Wohin gehen sie?

**2 25** Hör zu und suche das richtige Bild unten.

Claudia    Thomas    Gustav    Brigitte    Michael    Elisabeth    Christine

…nach Hause

…in die Stadt

…ins Schwimmbad

…auf den Fußballplatz

…zu Paul

…in die Disco

…ins Schülercafé

### 2. Frag deinen Partner

Wohin gehst du am liebsten?
Wohin gehst du am Samstag?
…

### Grammatik

Wohin gehst du?
Ich gehe in …/ auf …/ zu …/ nach …

| Ich gehe | | |
|---|---|---|
| | in den | Zoo. Zirkus. |
| | auf den | Fußballplatz. Sportplatz. Tennisplatz. |
| | ins (in + das) | Bett. Café. Schwimmbad. Zentrum. Theater. Kino. |
| | aufs (auf + das) | Schulfest. |
| | in die | Disco. Schule. |
| | zu | Paul. Oma. |
| | nach | Hause. |

### 3. Spiel: Wohin gehst du?

Du würfelst und kommst auf ein Feld mit Text.
Du sagst:

> **Ich möchte / muss …**
> **Ich gehe in / auf / zu / nach …**
>
> Beispiel „tanzen":
> Ich möchte tanzen. Ich gehe in die Disco.

Du hast nur 7 Sekunden Zeit!
Richtig? Gut, du kannst stehen bleiben.
Falsch? Schade, du musst auf das alte Feld
zurück.
Wer ist als Erster im Ziel?

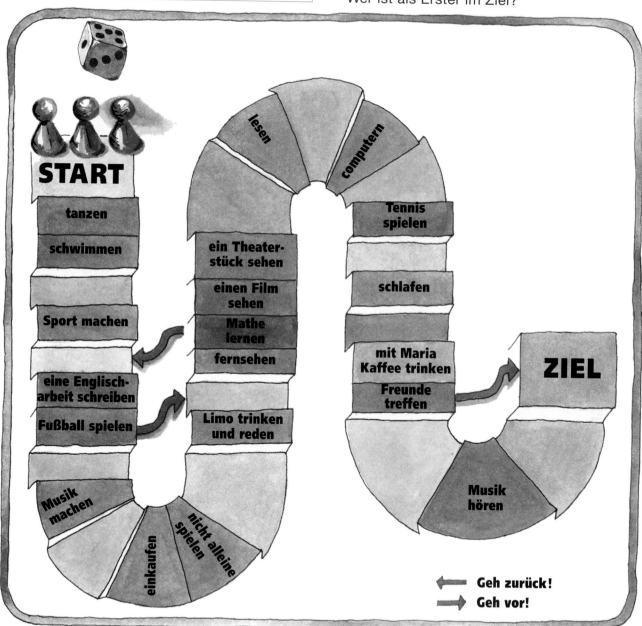

### 4. Ein Telefongespräch

**26** Hör das Telefongespräch an.
Was schreibt Alex auf?
Mach Notizen.

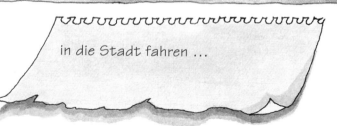

in die Stadt fahren …

## B Nur keine Langeweile

### 1. Ach, ist das langweilig!

● Ach, ist das langweilig!
▲ Hast du die Hausaufgaben schon fertig?
● Ja!
▲ Na, dann ruf doch Peter an.
● Peter ist nicht da. Er geht doch am Mittwoch immer auf den Fußballplatz.
▲ Und Maria?
● Die geht immer ins Schwimmbad.
▲ Und …

Macht weiter.
Wohin gehen Jan / Anna / Nina / Monika / Thomas / Bernd?

▲ Weißt du was? Ich gehe jetzt einkaufen. Kommst du mit? Dann gehen wir ins Café und essen ein Eis.
● Au prima!

### 2. Was machen deutsche Jugendliche in der Freizeit?

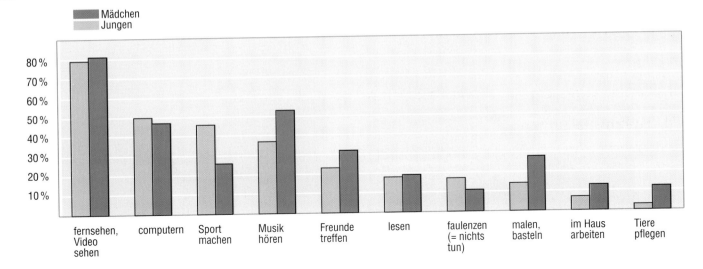

Schau die Graphik an:

| Die Mädchen | … am liebsten … |
| Die Jungen | … nicht so gern … |

| Die Jungen | … gern …, | die Mädchen … | auch gern … |
| Die Mädchen | | die Jungen … | nicht so gern … |
| | | | lieber… |

Frag auch deinen Partner: Was machen

| die Mädchen | lieber, … oder …? |
| die Jungen | am liebsten? |
| | gern? |
| | nicht so gern? |
| | … |

Mach eine Statistik in deiner Klasse.

## 3. Eine E-Mail

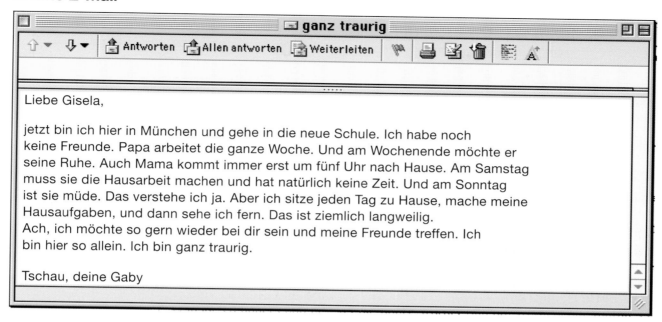

Liebe Gisela,

jetzt bin ich hier in München und gehe in die neue Schule. Ich habe noch
keine Freunde. Papa arbeitet die ganze Woche. Und am Wochenende möchte er
seine Ruhe. Auch Mama kommt immer erst um fünf Uhr nach Hause. Am Samstag
muss sie die Hausarbeit machen und hat natürlich keine Zeit. Und am Sonntag
ist sie müde. Das verstehe ich ja. Aber ich sitze jeden Tag zu Hause, mache meine
Hausaufgaben, und dann sehe ich fern. Das ist ziemlich langweilig.
Ach, ich möchte so gern wieder bei dir sein und meine Freunde treffen. Ich
bin hier so allein. Ich bin ganz traurig.

Tschau, deine Gaby

Antworte auf die E-Mail.
Schreib Gaby, was sie machen kann, zum Beispiel:

Freunde finden          Leute kennen lernen          Gitarre spielen
in die Disco gehen       Sport machen                 ...

Schreib so:
Liebe Gaby, sei nicht ... Du findest sicher bald ... Du kannst doch ...

## 4. Kurzmitteilungen

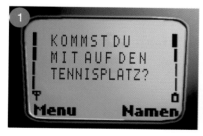

Was passt?
Immer zwei Mitteilungen
gehören zusammen.
Die Summe ist immer 15.

## 5. Faltspiel

Jeder Schüler macht ein Blatt:

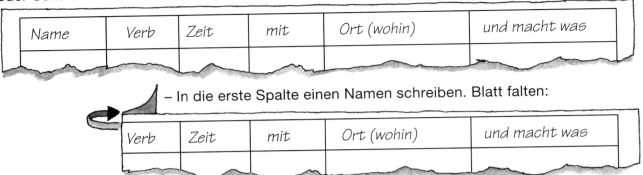

| Name | Verb | Zeit | mit | Ort (wohin) | und macht was |
|------|------|------|-----|-------------|---------------|
| | | | | | |

– In die erste Spalte einen Namen schreiben. Blatt falten:

| Verb | Zeit | mit | Ort (wohin) | und macht was |
|------|------|-----|-------------|---------------|
| | | | | |

Blatt nach links weitergeben.
– In die zweite Spalte ein Verb schreiben, zum Beispiel: *fährt, geht, schwimmt, tanzt* ... Blatt falten und nach links weitergeben.
– In die dritte Spalte: *am ... / um ...* Blatt falten und weitergeben.
– In die vierte Spalte: *mit ...* (und ein Name). Blatt falten und weitergeben.

– In die fünfte Spalte: *in / auf / nach / zu ...* Blatt falten und weitergeben.
– In die sechste Spalte: *und ...* (und ein Verb).

Sind alle Spalten voll?
Mach auf und lies den Satz.

Hier ist ein Beispiel:

| Name | Verb | Zeit | mit | Ort (wohin) | und macht was |
|------|------|------|-----|-------------|---------------|
| Klaus | fährt | am Sonntag | mit Maria | ins Café | und schläft. |

## Grammatik

### Struktur/Zeitangaben

| Subjekt | Verb | Zeit | | Ort |
|---------|------|------|---|-----|
| Peter | geht | am Samstag | um 20 Uhr | ins Kino. |
| Karin | fährt | am Wochenende | immer | zu Oma. |
| Familie Müller | fährt | im Sommer | zwei Wochen | nach Italien. |

| am | Samstag<br>Wochenende<br>Morgen | | um | 20 Uhr<br>10 Uhr<br>1 Uhr |
|----|------|---|----|------|
| im | Frühling<br>Sommer<br>Herbst<br>Winter | | | immer<br>manchmal<br>oft<br>jeden Tag |
| heute<br>morgen | | | | |

## 6. Was machen die denn da?

a) Schau die Personen an und mach Sätze mit diesen Teilen:
Wer geht/fährt/fliegt? Wann? Wohin? Was macht er/sie da?
*Beispiel:* Der Riese geht am Nachmittag in die Stadt und fängt Schmetterlinge.
            Rumpelstilzchen geht ... nach Hause und schimpft.
            Superman fliegt ...
            Die Hexe fährt ...

Wer findet den schönsten Unsinn?

der Riese

Aschenputtel

der Vampir

Superman

der Zwerg

Schneewittchen

Rumpelstilzchen

Dornröschen

die Hexe

b) Wie sind die Personen?

nett – böse  klein – groß  hässlich – hübsch

freundlich – unfreundlich    schwach – stark     warm – kalt

jung – alt     langsam – schnell  schmutzig – sauber

Die Person ist stark und schnell. Wer ist das? – Richtig, Superman.
Mach selbst weiter.

### 7. Kostümfest

**2 28** Peter macht ein Kostümfest. Bei diesem Fest kommen alle verkleidet, als Superman oder als Vampir, als Marilyn Monroe oder als Popsängerin ...

Peter ruft alle Freunde an:

> ● Hier Klaus Grüner.
> ▲ Hallo, Klaus. Hier ist Peter. Du weißt doch, ich mache am 23. Januar ein Kostümfest. Kommst du?
> ● Ja klar. Das ist doch am Samstag, oder?
> ▲ Ja. Als was kommst du denn?
> ● Muss ich denn verkleidet kommen? Dazu habe ich keine Lust.
> ▲ Ach, sei kein Spielverderber!
> ● Weißt du was? Ich komme als Klaus.
> ▲ Das finde ich doof. Alle kommen verkleidet.

● Na gut, ich komme verkleidet. Aber es wird eine Überraschung.

● Also, dann komme ich eben nicht!

So kannst du auch sagen:

● Das finde ich aber | doof!
                     | blöd!
Muss das sein?
Das mache ich nicht!
Das möchte ich nicht!
Ich mag aber nicht!

▲ Mensch, komm doch!
Ach, komm!
(Ach) Mensch!
Sei doch nicht so!
Sei kein Frosch!
Stell dich doch nicht so an!

 Macht den Dialog noch einmal. Verwendet andere Sätze.

## 8. Schreib eine Einladungskarte

Such dir Sätze aus.

Teil 1

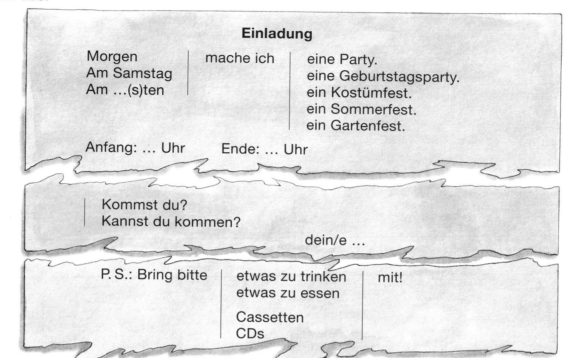

**Einladung**

| Morgen | mache ich | eine Party. |
|---|---|---|
| Am Samstag | | eine Geburtstagsparty. |
| Am ...(s)ten | | ein Kostümfest. |
| | | ein Sommerfest. |
| | | ein Gartenfest. |

Anfang: ... Uhr        Ende: ... Uhr

Teil 2

Kommst du?
Kannst du kommen?

dein/e ...

Teil 3

P. S.: Bring bitte | etwas zu trinken | mit!
etwas zu essen

Cassetten
CDs

## 9. Fragen

a) Welche deutschen Feste kennst du?
b) Welche Feste feiert ihr? Und wann?
c) Wann ist Weihnachten?
d) Wann ist dieses Jahr Ostern?
e) Wann ist dein Geburtstag?

## Grammatik

Die Party ist am 23. (dreiundzwanzigsten) Januar.
Heute ist der 23.1. (dreiundzwanzigste Erste).

| der, das, die ... | Heute ist der - (s)te | Januar. |
|---|---|---|
| **1.** erste | | Februar. |
| **2.** zweite | | März. |
| **3.** dritte | | April. |
| **4.** vierte | | Mai. |
| **5.** fünfte | | Juni. |
| **6.** sechste | | Juli. |
| **7.** siebte | | August. |
| **8.** achte | | September. |
| **9.** neunte | | Oktober. |
| **10.** zehnte | | November. |
| **...** | | Dezember. |
| **19.** neunzehnte | | |
| **20.** zwanzigste | | |
| **21.** einundzwanzigste | | |

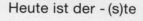

Mein Geburtstag ist am 26.2.
   (sechsundzwanzigsten Zweiten).

**1000.** tausendste

 Die Ferien fangen am 30.3.
   (dreißigsten März) an.

# 10

## Na so was!

● Guten Tag, darf ich mich vorstellen? Mein Name ist Napoleon.
▲ Ach, wie interessant. Sie leben immer noch? Übrigens, ich bin Christoph Kolumbus.
● Na so was! Ich dachte, Sie sind James Bond. So eine Ähnlichkeit!
▲ Ja, das sagt meine Frau auch.
● Wie heißt sie denn?
▲ Marilyn.
● Doch nicht etwa Monroe?
▲ Natürlich.
● Das ist aber interessant!

■ Guten Abend, mein Name ist Wolfgang.
▲ Wolfgang? Etwa Wolfgang Amadeus?
■ Nein!
● Oder vielleicht Johann Wolfgang von Goethe?
■ Ach was, ich heiße Wolfgang Müller.
▲/● Wolfgang Müller? Nein, wie ordinär!
▲ Kommen Sie, wir gehen.
● Sie haben Recht. Eine Party mit solchen Leuten! Ts, ts, ts. Da gehen wir lieber.

## Lesen

### So ein Glück!

1 Markus ist fünfzehn Jahre alt. Er wohnt jetzt in Hamburg,
aber er möchte gern wieder in München sein. Hier in
Hamburg hat er noch keine Freunde.
Am Nachmittag fährt Markus in die Stadt. Er steht vor
5 dem Ufa-Palast. Um halb vier fängt das Kino an. Das ist
doch eine gute Idee!
Der Film ist ziemlich blöd- so ein romantischer Liebesfilm.
„Entschuldigung", sagt ein Mädchen leise. „Der Film ist so
traurig. Hast du mal ein Taschentuch?" So ein Glück! Mar-
10 kus hat immer ein Taschentuch dabei. „Danke", sagt das
Mädchen leise.
Nach dem Kino gehen Markus und das Mädchen ins Eis-
café. Markus ist froh, dass Mädchen Liebesfilme mögen.

### Tipp

Du kannst einen Text besser verstehen, wenn du diese Fragen stellst:
Wer kommt vor?
Was passiert?
Wo passiert etwas?
Wann passiert etwas?
Warum passiert etwas?

### Was passt?

1. Warum möchte Markus wieder in München sein?
   a) Er wohnt in Hamburg.
   b) Er hat noch keine Freunde in Hamburg.
   c) Er ist fünfzehn Jahre alt.

2. Wann fährt Markus in die Stadt?
   a) Um halb vier.
   b) Nach dem Kino.
   c) Am Nachmittag.

3. Wie findet Markus den Film?
   a) Blöd.
   b) Romantisch.
   c) Traurig.

4. Was möchte das Mädchen von Markus?
   a) Ein Taschentuch.
   b) Einen Liebesfilm.
   c) Eine Entschuldigung.

5. Wohin gehen die zwei nachher?
   a) Ins Kino.
   b) Zu Markus.
   c) Ins Eiscafé.

6. Warum ist Markus froh, dass Mädchen gern Liebesfilme sehen?
   a) Er hat ein Taschentuch.
   b) Er kennt jetzt jemand in Hamburg.
   c) Er sieht gern Liebesfilme.

## Lernwortschatz

### Dahin kann man in der Freizeit gehen:

in den Zoo
in den Zirkus
in die Disco, in die Stadt
ins (in + das) Café
ins Schwimmbad
ins Zentrum
ins Theater
ins Kino

auf den Sportplatz
auf den Fußballplatz
auf den Tennisplatz
aufs (auf + das) Schulfest

*Leute oder Sachen beschreiben:*

nett – böse
klein – groß
hässlich – hübsch
freundlich – unfreundlich
schwach – stark

warm – kalt
jung – alt
langsam – schnell
schmutzig - sauber

*Die Monate:*

| | | |
|---|---|---|
| Januar | Mai | September |
| Februar | Juni | Oktober |
| März | Juli | November |
| April | August | Dezember |

# Grammatik

## 1. Präpositionen/Ort

Wohin gehst du?

*Ich gehe in / auf + Akkusativ.*

| Maskulinum | Neutrum | Femininum |
|---|---|---|
| Ich gehe ...<br>in den Zoo.<br>auf den Fußballplatz. | Ich gehe ...<br>ins (in + das) Kino.<br>aufs (auf + das) Schulfest. | Ich gehe ...<br>in die Disco.<br>auf die Klassenparty. |

*Ich gehe zu + Namen / Personen.*

Ich gehe zu | Oma.
Katrin.

⚠ Ich gehe nach Hause.

## 2. Satz

| Subjekt | Verb | Zeit | | Ort |
|---|---|---|---|---|
| Josef | geht | heute | um halb drei | ins Kino. |
| Katrin | fährt | am Samstag | immer | zu Tante Anna. |
| Klaus | fährt | im Winter | eine Woche | nach Österreich. |

## 3. Das Datum

Ich mache am 11.11. (= am elften Elften) eine Party.
Mein Geburtstag ist am 23.7. (= am dreiundzwanzigsten Siebten).

Heute ist der 11.11. (= der elfte Elfte).
Morgen ist der 23.7. (= der dreiundzwanzigste Siebte).

nach Amerika · in den Dschungel · in die Karibik · auf den Mond

**11**

**Mona:**
Die Häuser sind dort sehr hoch; sie heißen Wolkenkratzer. Es gibt auch Filmstudios. Ich möchte so ein Studio anschauen.

**Cornelia:**
Dort ist es immer warm. Es gibt viele Tiere: Affen, Papageien und Schlangen. Wir machen eine Safari.

**Philipp:**
Dort ist es kalt. Es gibt kein Wasser, aber es gibt ein Meer, das „Meer der Ruhe". Es gibt keine Pflanzen und keine Tiere. Alles ist ganz leer.

**Andreas:**
Dort ist das Wetter immer schön. Die Sonne scheint. Das Meer ist blau, warm und ganz sauber. Es gibt Palmen, Bananen, Korallen und viele Inseln. Wir schwimmen und tauchen.

Wohin möchten sie fahren? Mona:
Philipp:
Cornelia:
Andreas:

## A Traumreisen

### 1. Das tolle Telefon

2 30

Wer möchte das nicht? Man wünscht sich einen Ort, telefoniert, und sofort ist man da ...

● Hallo!
▲ Guten Tag, hier spricht das tolle Telefon. Wohin möchten Sie denn?
● Ich möchte nach Paris.
▲ Kein Problem, einen Moment ...

Ruf an. Wohin möchtest du?

| nach | | nach | | in die | |
|------|--------|------|-------------|--------|-------------|
| | Madrid | | England | | Schweiz |
| | London | | Frankreich | | Mongolei |
| | Budapest | | Italien | | Türkei |
| | Wien | | Griechenland | | Niederlande |
| | Zürich | | Spanien | | USA |
| | Hamburg | | Alaska | | Sahara |
| | Moskau | | Kalifornien | | Karibik |
| | ... | | ... | | ... |

### 2. Wohin möchtest du fahren / fliegen?

Und warum? Frag deinen Partner.

▲ Wohin möchtest du fahren / fliegen?
● Nach ... / In die ...
▲ Und warum?
● Dort gibt es ...

Wolkenkratzer, Filmstudios, Pizza, Palmen, Berge, Tiere, Schnee, Kängurus, Burgen, viel Sonne ...

2 31

▲ Ach, ich möchte ganz weit wegfahren, am liebsten in die Sahara.
● Warum das denn?
▲ Dort gibt es keinen Stress und keine Hausaufgaben.
● Aber auch keinen Fernseher und kein Telefon.

Macht weitere Dialoge.

▲ der Mathelehrer
  das Zeugnis
  die Schule
  ...

● der Fußballplatz
  das Kino
  die Disco
  ...

### Grammatik

| | | | | |
|---|---|---|---|---|
| Dort ist ein Fußballplatz. | = Dort | gibt es | einen | Fußballplatz. |
| Dort ist kein Fußballplatz. | = Dort | gibt es | keinen | Fußballplatz. |
| Dort ist ein Kino. | = Dort | gibt es | ein Kino. | |
| Dort ist kein Kino. | = Dort | gibt es | kein Kino. | |
| Dort ist eine Disco. | = Dort | gibt es | eine Disco. | |
| Dort ist keine Disco. | = Dort | gibt es | keine Disco. | |
| Dort sind Palmen. | = Dort | gibt es | Palmen. | |
| Dort sind keine Palmen. | = Dort | gibt es | keine Palmen. | |

## 3. Oh je!

**2 32**

▲ Was machst du denn, Silvia?
Machst du Hausaufgaben?

● Ja, Mama.

▲ Vergiss nicht! Du musst noch Englisch lernen.
Du schreibst morgen eine Klassenarbeit.

● Das mache ich schon, Mama.

▲ Und räum dein Zimmer auf!

● Ist gut, Mama.

▲ Und vergiss nicht, wir müssen später zu Oma!

● Ich weiß, Mama.
Oh je! Ich möchte …

▲ Silvia, was machst du denn?
Silvia! Silvia!

● Ja, Mama?

Was träumt Silvia?
Macht den Dialog weiter.

## 4. Träume

**2 33**

Du hörst jetzt Geräusche. Schreib bei jedem Geräusch auf,
was dir einfällt: deine Träume, deine Wünsche …

a) Schreib so: Ich möchte nach/in die … fahren. Dort gibt es …

 b) Schreib deiner Freundin / deinem Freund eine „Traum-
Postkarte".

Hallo …
Viele Grüße aus …
Hier gibt es …

dein/deine

Herrn
Philipp Weber
Böheinstr. 16

86633 Neuburg

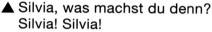

## B Deutschland, Österreich und die Schweiz

**1. Wo ist was?**

Frag deinen Partner:

| Wo ist | die Lüneburger Heide? | Im Norden. |
|---|---|---|
| Wo liegt | Hamburg? | Im ... |
| | ... | ... |

| Was ist | im Westen? | Der Rhein. |
|---|---|---|
| Was liegt | ... | Berlin. |
| | ... | ... |

## 2. Bilder aus Deutschland, Österreich und der Schweiz

2. Im Sommer kommen viele bekannte Segler nach Kiel. Dort findet die Kieler Woche statt. Das ist ein Wettkampf der besten Segler der Welt. Eine Woche lang feiern alle ein großes Fest.

1. Der Bodensee grenzt an Deutschland, die Schweiz und an Österreich. Mit einem Schiff kann man auf die Insel Mainau fahren.

3. Viele Touristen kommen auf die Insel Rügen, weil sie die berühmten weißen Kreidefelsen sehen wollen. Rügen ist Deutschlands größte Insel.

4. Im Erzgebirge gibt es große Wälder. Wer zu Besuch ins Erzgebirge kommt, kauft dort oft bunte Figuren aus Holz, zum Beispiel Spielzeug für Kinder.

5. Die Alpen sind das höchste Gebirge in Europa. Viele Leute machen dort Ferien. Der höchste Berg in Deutschland ist die Zugspitze.

6. Basel ist eine große Stadt in der Schweiz. Am Ende des Winters findet dort die Basler Fasnacht statt. Das ist ein alter Brauch: Viele Menschen mit Masken und Kostümen laufen durch die Stadt.

7. Die Hauptstadt von Österreich ist Wien. Im Sommer gibt es da das große Donauinselfest. Das ist eine Super-Party mit tollen Bands. Die Party dauert drei Tage.

Was passt?

| A | B | C | D | E | F | G |
|---|---|---|---|---|---|---|
| ? | ? | ? | ? | ? | ? | ? |

## 3. Wohin?

**Wohin** fährst / gehst / steigst / fliegst du?

| in | in den | ins (= in das) | in die | in die *(Plural)* |
|---|---|---|---|---|
| | Schwarzwald<br>Harz | Ruhrgebiet<br>Fichtelgebirge | Lüneburger Heide<br>Eifel | Alpen<br>Berge |
| | Dschungel<br>Himalaja | | Sahara<br>Schweiz, Türkei<br>Ukraine | Anden<br>USA |
| an | an den | ans (= an das) | an die | an die *(Plural)* |
| | Rhein<br>Bodensee<br>Main | Meer | Donau<br>Elbe<br>Nordsee<br>Ostsee | Mecklenburger<br>Seen |
| | Amazonas | Mittelmeer | Wolga | Plitvicer Seen |
| auf | auf den | aufs (= auf das) | auf die | auf die *(Plural)* |
| | Feldberg<br>Brocken<br>Kölner Dom | Nebelhorn<br>Land | Zugspitze<br>Frauenkirche<br>Insel Mainau | |
| | Kilimandscharo<br>Mount Everest<br>Mond | Matterhorn | | Seychellen<br>Malediven |
| nach | Hamburg, Heidelberg<br>München, Salzburg, Wien | | Österreich, Deutschland<br>Bayern | |
| | New York, Singapur | | Spanien, Brasilien<br>Texas<br>Afrika, Europa | |

## 4. Was machen wir denn in den Ferien?

- ● Was machen wir denn in den Ferien?
- ▲ Ach, ich möchte so gern in die Sahara fahren.
- ● Was? Das ist doch viel zu gefährlich.
- ▲ Ich weiß schon.
- ■ Ich habe eine Idee. Warum fahren wir nicht in die Lüneburger Heide?
- ●/▲ Wie jedes Jahr!

Macht weitere Dialoge.
Schaut auch auf der Liste links nach.

| ▲ | ● |
|---|---|
| an den Amazonas fahren | zu weit |
| in die Schweiz fliegen  | zu teuer |
| auf den Brocken steigen  | zu hoch |
| … | zu heiß |
| … | zu kalt |

## 5. Spiel: Schwarzer Peter

### Vorbereitung:

Macht Spielkarten. Immer zwei Karten bilden ein Paar, zum Beispiel:

Macht mindestens 12 Paare.
Nehmt die Wörter aus der Liste auf Seite 90.
Dazu kommt der „Schwarze Peter",

zum Beispiel:

Für den „Schwarzen Peter" gibt es kein Paar.

### So geht das Spiel:

Man teilt die Karten aus. Wer ein Paar hat, legt es auf den Tisch und spricht den Satz. Die anderen kontrollieren. Man zieht reihum eine Karte von seinem rechten Mitspieler. Wer ein Paar bekommt, legt es auf den Tisch und spricht den Satz.
Wer hat am Schluss den „Schwarzen Peter"?

## Na so was!

### Das tolle Telefon

1 Tina und Pit sind auf dem Flohmarkt. Sie stehen an einem Stand.
„Sieh mal", sagt Tina. Sie zeigt Pit ein sehr altes Telefon. „Das ist etwas ganz
5 Besonderes", sagt der alte Mann am Stand. „Wähle dreimal die Drei und wünsche dich dann an einen Ort. Sofort bist du da." „Das glaube ich nicht", sagt Pit. „Du musst nicht alles glauben", sagt der alte Mann. „Aber ich
10 bin mit dem Telefon um die ganze Welt gereist." „Na gut", sagt Tina. „Wir kaufen das Telefon. Wir probieren es aus!"
Zu Hause bei Tina sitzen die beiden vor dem Telefon.
15 „Ich möchte so gerne einmal nach New York", sagt Tina. „Das klappt doch nie!" sagt Pit. Aber Tina wählt schon: dreimal die Drei. „Hallo", sagt sie in den Hörer. „Guten Tag! Hier spricht das tolle Telefon", sagt eine
20 Stimme. „Wohin möchtest du, bitte?" Tina schaut den Hörer an und lacht. „Ich möchte

nach New York", sagt sie. „Kein Problem", antwortet die Stimme. „Und wie komme ich zurück?" fragt Tina. „Klatsche nur dreimal in die Hände", sagt das Telefon. Eine Sekunde 25 später steht Tina mitten in New York, direkt vor einem großen Wolkenkratzer. „Cool", sagt sie. Neben ihr steht eine Frau. „Where are you from?", fragt sie Tina. „I am from Germany", antwortet Tina. „ That is a long 30 way", sagt die Frau.
Tina lacht: „No, it is a very short way!" Dann bekommt Tina Hunger. Sie geht zur nächsten Snackbar. Dort isst sie ein Hot Dog. Dann muss sie bezahlen. Aber Tina hat kein Geld 35 mit!
Der Verkäufer ist nicht sehr freundlich. „I am sorry", stottert Tina. Der Verkäufer kommt auf Tina zu. Und jetzt ist er sehr böse.
Da klatscht Tina schnell in die Hände. Sofort 40 ist sie wieder in ihrem Zimmer.
„Au weia, das war knapp", sagt sie zu Pit.

Wie sind die Bilder richtig?

| 1 | 2 | 3 | 4 |
|---|---|---|---|
| ? | ? | ? | ? |

## NATUR UND KULTUR IN AFRIKA

Wandern und Safaris
Kleingruppen u. Indiv.
Arrangements
Sandmann Tours, Ludgeriplatz 2
48151 Münster, Tel. 0251/237990

# Nike-Reisen
## Kurzreisen zu Toppreisen

| | | |
|---|---|---|
| Paris | 1 Tag | nur 25,– |
| Paris | 2 Tage | ab 49,– |
| London | 2 Tage | nur 39,– |
| Stuttgart | 2/3 Tage | ab 89,– |
| Hamburg | 2/4 Tage | ab 79,– |
| Wien | 5 Tage | ab 189,– |

Juni bis August:
**Schwimmen und Tauchen**
in Griechenland und Marokko
Rad/Windsurfen/Kanu/Kajak/Segeln
Spannende Reisen für Eltern und Kinder
**SüdTours**
Nelkenstraße 7
72631 Aichtal
Tel. 07127/67535 Fax 8219
Internet: http://www.südtours.de

### Jepsenhof Dithmarschen

Hallo, Mädchen! Hallo, Jungen!
Wollt ihr in den Ferien reiten?
Hier ist immer etwas los!

**Familie Jansen**, Hauptstraße 19
25727 Frestedt, Telefon (04830) 795

## Was passt?

1. Silvia will nach Österreich fahren.
2. Corinna möchte in den Ferien gern reiten.
3. Andi und Markus wollen in den Ferien eine Safari machen.
4. Claudia will in den Ferien in eine Stadt in Deutschland fahren.
5. Thomas möchte in den Ferien schwimmen.
6. Marina will im Sommer mit ihren Eltern ans Meer fahren.
7. Oli möchte im Winter Windsurfen.

**Tipp**
Lies den ersten Satz der Aufgabe. Was ist die wichtigste Information? Such das Passende in der Anzeige. Mach es mit den anderen Sätzen genauso.

## 11

## Lernwortschatz

**Die Himmelsrichtungen:**

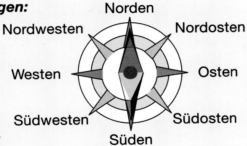

Norden
Nordwesten   Nordosten
Westen   Osten
Südwesten   Südosten
Süden

**Reiseziele angeben:**

in die Karibik, in die Berge ...
an den Bodensee, ans Meer ...
auf die Zugspitze, aufs Land ...
nach München, Zürich, New York, Griechenland, Italien ...

## Grammatik

### 1. Präpositionen (Ortsangaben)

Wohin fährst du in den Ferien?

| | Singular | | | Plural |
|---|---|---|---|---|
| | Maskulinum | Neutrum | Femininum | |
| | Ich fahre ...<br><br>in den Schwarzwald.<br><br>an den Rhein.<br><br>auf den Feldberg. | Ich fahre ...<br><br>ins Ruhrgebiet.<br><br>ans Mittelmeer.<br><br>aufs Nebelhorn. | Ich fahre ...<br><br>in die Eifel.<br><br>an die Ostsee.<br><br>auf die Insel Mainau. | Ich fahre ...<br><br>in die Alpen.<br><br>an die Osterseen.<br><br>auf die Seychellen. |
| | Ich fahre ...<br><br>nach Österreich.<br>nach Berlin. | | Ich fahre ...<br><br>in die Schweiz.<br>in die Türkei. | Ich fahre ...<br><br>in die USA. |

### 2. Pronomen

a) Das unpersönliche *es*

*Es gibt + Nomen im Akkusativ*

| In | Hamburg | gibt es einen Zoo. |
|---|---|---|
| Hier | | gibt es kein Wasser. |
| Dort | | gibt es eine Disco. |
| In | Afrika | gibt es viele Tiere. |

# *Guten Appetit!*

**12**

Königsberger Klopse

Borschtsch

Mousse au chocolat

Gulasch

Zürcher Geschnetzeltes mit Rösti

Marillenknödel

Kebab

Paella

Pizza

Moussaka

Was isst man wo?
Und was isst man bei euch?
Was ist dein Lieblingsessen?
Was magst du gar nicht?

# 12A

## A Das isst man bei uns und anderswo

### 1. Das ist mir passiert

**A** In den Ferien war ich mit einer Jugendgruppe in England. Eines Tages waren wir in der Stadt. Doch plötzlich war die Gruppe weg und ich war ganz allein. Am Mittag hatte ich großen Hunger. Da war ein Restaurant. Also, nichts wie rein! Aber ..., fünf Minuten, zehn Minuten, eine Viertelstunde, keine Bedienung! Dann hatte ich keine Lust mehr und bin raus. Draußen war ein Schild „Self service". Am Abend, als ich wieder mit den anderen zusammen war, fragten sie: „Wo warst du denn?" „Wo wart ihr denn?" fragte ich zurück. „Also, wir waren in einem super Restaurant. Hattest du auch einen schönen Tag?"

**B** Ich komme aus Griechenland. In den Ferien war ich bei meinem Onkel Kosta in Deutschland. Einmal waren meine Cousins und ich beim Essen in einem Restaurant. Beim Zahlen fragte der Ober: „Wie viele Brötchen hattet ihr?" Wir hatten keine Ahnung, vier, fünf vielleicht. Wer zählt schon beim Essen die Brötchen? Bei uns in Griechenland ist das anders.

**C** Meine Freundin kommt aus der Türkei. Gestern war ich bei Ayse zu Hause. Sie waren gerade beim Essen. Sie hatten eine Art Hamburger mit Joghurtsoße. Fleisch mit Joghurt! Na so was! Aber es war wirklich lecker.

### Grammatik

|       | sein  | haben   |
|-------|-------|---------|
| ich   | war   | hatte   |
| du    | warst | hattest |
| er/es/sie | war | hatte  |
| wir   | waren | hatten  |
| ihr   | wart  | hattet  |
| sie/Sie | waren | hatten |

Julia

Niko

Nina

Lisa

Jan

a) Ergänze die Texte

**D** Letzten Sommer ___ ich mit meinen Eltern in Spanien. Einmal ___ wir beim Essen. Aber sie ___ nur Fisch. Und ich mag doch keinen Fisch! Aber ich ___ so einen Hunger. Was tun? Essen, leider! Und ich muss sagen, der Fisch ___ wirklich lecker. Er ___ aber auch ganz frisch. Seitdem esse ich Fisch, aber er muss frisch sein, wie in Spanien.

b) Schau die Bilder an. Wer war wo?

c) Stell Fragen: Wer? Wo? Woher? Was? Wann? Wie?

**E** Mein Bruder ___ drei Wochen in Italien bei einer Familie. Man hört ja immer, dass die Italiener jeden Tag Pasta essen. Das stimmt wirklich! Mein Bruder ___ wirklich jeden Tag Pasta. Ich möchte auch mal nach Italien. Ich ___ noch nie da. Und ich esse doch so gern Spaghetti.

## 2. Essen und Trinken in Deutschland

Brot
Brötchen
Ei
Müsli
Brezel
Wurst
das
die
Milch
Butter
Marmelade
Käse
Kaffee
Tee
der
Honig
Orangensaft
Joghurt

**Frühstück**

Mineralwasser
Wurstbrot
Schnitzel
Fleisch
Bier
Sauerkraut
Käsebrot
das
Gulasch
Würstchen
Gemüse
Erbse(n)
Bohne(n)
Tomate(n)
Limo
Nudel(n)
Currywurst
Frikadelle(n)
Milch
die
Kartoffel(n)
Suppe
Eintopf
Fisch
Apfelsaft
Schweinebraten
Salat
Kloß, Klöße
Spinat
Knödel
der
Reis
Mittag-
oder
Abendessen
Kartoffelsalat
Tee

a) Was ist dein Lieblingsessen?
   Kennst du deutsche Gerichte? Welche?
   Frag auch deinen Partner.

b) Du lädst Freunde zu einem deutschen
   Essen ein.
   Schreib eine Einladungskarte.
   Schreib auch, was es zu essen gibt.

c) Was isst man bei euch zum
   Frühstück/Mittagessen/Abendessen?
   Schreib das einem deutschen Brief-
   freund / einer deutschen Brieffreundin.

# 12A

### 3. Was esst ihr denn so?

▲ Na, schmeckt es dir?
● Und wie! Pizza ist mein Lieblingsessen. Bei uns zu Hause gibt's so was nie.
▲ Was esst ihr denn so?
● Ach, immer nur Schweinebraten mit Klößen und so. Das schmeckt meinem Vater.

### 4. Das schmeckt doch nicht!

▲ Opa und Oma kommen heute. Was soll ich nur kochen?
● Mach doch Spaghetti.
▲ Ach, das schmeckt doch dem Opa nicht!

 Macht weitere Dialoge.

●            ▲
Pizza       Oma
Pommes frites   Großeltern

 Macht weitere Dialoge.

Würstchen mit Sauerkraut / meiner Mutter
Spinat mit Ei / meinen Eltern
Gulasch mit Nudeln / meinem Opa
...

## Grammatik

Dativ

Das schmeckt ...

| meinem | Vater. | meinem | Kind. | meiner | Mutter. | meinen | Eltern. |
|---|---|---|---|---|---|---|---|
| dem | Opa. | dem | Mädchen. | der | Oma. | den | Großeltern. |

### 5. Nasi Goreng

Hör zu. Beantworte dann die Fragen.

a) Was gibt es heute?
b) Woher kommt das Gericht?
c) Wie schmeckt dem Vater das Essen?
d) Wie schmeckt der Mutter das Essen?
e) Warum findet die Schwester das Essen scheußlich?
f) Was isst die Schwester gern?

Was isst du am liebsten?
Wie schmecken dir Gerichte aus anderen Ländern?

132

## B Was isst man wann?

### 1. Das essen wir!

"Meine Mutter arbeitet. Sie kommt erst um fünf Uhr nach Hause. Mein Vater nimmt immer ein Brot mit in die Firma. Normalerweise gehe ich am Mittag nach Hause. Ich esse ein Brot oder so. Am Abend kocht dann meine Mutter."

"Zweimal die Woche habe ich am Nachmittag Unterricht. Dann esse ich am Mittag einen Hamburger oder Pommes frites. Meine Mutter gibt mir immer Äpfel und Bananen mit. Aber das Obst gebe ich Katrin. Sie macht Diät. So ein Quatsch! Na ja, mir schmecken Hamburger sowieso besser."

"Also, ich bin froh, wenn ich zu Hause essen kann. Mama kocht prima. Am liebsten mag ich Schweinebraten und Klöße oder Gulasch mit Kartoffeln. Mama kocht jeden Mittag. Mein Vater kommt nämlich in der Mittagspause nach Hause. Und Mama ist sowieso zu Hause."

"Es gibt da nur ein Problem: Essen macht dick. Und ich muss auf meine Figur achten. Na ja, wenn wir am Nachmittag Unterricht haben, esse ich am Mittag nur Obst. Dann mache ich Diät. So kann ich zu Hause essen, was mir schmeckt."

"Meine Mutter ist Lehrerin. Sie kommt am Mittag nach Hause. Dann essen wir eine Kleinigkeit, meine Schwester, meine Mutter und ich. Am Abend, wenn mein Vater nach Hause kommt, gibt es dann warmes Essen."

"Manchmal koche ich für alle. Das macht mir Spaß. Aber ich koche nicht so normale Sachen, lieber chinesische Gerichte oder so. Das mag ich am liebsten. Und meinen Eltern schmeckt es auch. Meine Freunde lachen schon. Sie sagen, ich soll lieber auf eine Haushaltsschule gehen als ins Gymnasium. Aber das ist mir egal."

a) Wen interviewt der Reporter?
Wie schmecken dir Hamburger?
Wie schmeckt dir Gulasch?
Was gibt dir deine Mutter mit?

Warum kochst du manchmal für alle?
Warum kocht deine Mutter jeden Mittag?
Warum kommt deine Mutter am Mittag nach Hause?

b) Macht selbst weiter. Einer ist der Reporter, einer Tobias, eine Katrin und eine Anja.
Der Reporter stellt Fragen. Die anderen suchen die Antworten im Text.

## Grammatik

| | |
|---|---|
| Gulasch schmeckt mir. | Schmeckt dir Obst? |
| Das macht mir Spaß. | Macht dir das Spaß? |
| Leihst du mir eine CD? | Ich leihe dir gar nichts. |
| Gib mir bitte das Ei. | Ich gebe dir das Ei. |

 **2. Was mache ich am Geburtstag?**

1 ● Anja! Du hast ja bald Geburtstag.
Was möchtest du denn machen?
■ Ich weiß nicht.
● Was macht          denn Spaß?
■ Hmmm, ...

I

2 ◆ Lade doch deine Freundinnen zu
Kaffee und Kuchen ein.
■ Kaffee und Kuchen?
Nein, das ist          zu altmodisch.
◆ Also,          schmeckt das immer.
■ Ja, Oma, ich weiß.          schmeckt
das. Aber meinen Freundinnen ...

II

3 ▲ Warum gehst du nicht ins Eiscafé?
■ Und dann?
▲ Dann gibt es Eis für alle.
Ich nehme dann einen Banana-Split,
mit viel Sahne. Das schmeckt
am besten.
■ Ach, ich weiß nicht. Das ist
zu langweilig..

III

4 ■ Vielleicht gehe ich mit meinen Freunden am Abend ins Fast Food.
● Aha, und was macht ihr dort?
■ Na ja, Hamburger essen und so.
● Das macht ihr doch immer!
Also, dafür möchte ich ▢ eigentlich kein Geld geben.
■ Schade.

IV

5 ● Aber ich weiß was anderes.
Warum machst du nicht eine Grillparty hier im Garten?
■ Eine Grillparty? So richtig mit Würstchen, Fleisch, Kartoffelsalat und so?
● Ja, klar.
■ Mami, das ist es! Das macht ▢ Spaß.
Und den anderen sicher auch.

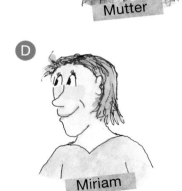

a) Ergänze im Text: mir – dir
b) Wie sind die Bilder richtig? Ordne.
c) Wer sagt was?

| 1 | 2 | 3 | 4 | 5 |
|---|---|---|---|---|
| ? | ? | ? | ? | ? |

## 3. Wir machen eine Grillparty
Schau auf Seite 131 nach. Was braucht man für eine Grillparty?

a) Schreib eine Liste.
b) Schreib eine Einladungskarte.

# 12B

## 4. Wir reden in Gruppen
a) Schreibt Karten zum Thema „Essen und Trinken".

| Essen und Trinken<br>**Essen** | Essen und Trinken<br>**Trinken** | Essen und Trinken<br>**Frühstück** | Essen und Trinken<br>**Mittag-<br>und Abend-<br>essen** |
|---|---|---|---|

Karte ziehen, Frage stellen und antworten.
Beispiel: Was isst/trinkst du gern / am liebsten?
Was gibt es bei dir zum Frühstück?
Was isst du zum Frühstück/Mittagessen?
...

b) Zeichnet Karten mit Essen und Getränken.
Macht ein Fragezeichen ? oder ein Ausrufezeichen ! .

*Beispiel:*

|  | |  |
|---|---|---|
| | *Schmeckt dir Fisch?* | *Isst/Magst du gern Fisch?* |
| *Antwort:* | *Ja, (Fisch schmeckt mir) sehr.* | *Ja, sehr gern.* |
| | *Wie schmecken dir Birnen?* | |
| *Antwort:* | *Sehr gut.* | |
| | *Gib mir bitte ein Brötchen.* | |
| *Antwort:* | *Hier bitte. (das Brötchen hergeben)* | |

## Na so was!

 **Witze**

Herr Lehrer Meier sitzt im Restaurant. Er zeigt mit dem Finger auf das Wort „Omelett" auf der Speisekarte und sagt zum Ober: „Omelett mit zwei ,t'!" Darauf ruft der Ober in die Küche: „Ein Omelett, zwei Tee!"

„Wie viel Zucker möchtest du im Kaffee?" „Sieben Stück, bitte." „Was? Sieben Stück?" „Ja, aber nicht umrühren. Sonst wird es zu süß."

„Herr Ober!", ruft Vater böse. „Da ist ein Haar in meiner Suppe!" „Das ist kein Haar", sagt der Ober. „Das ist ein Würstchen."

„Herr Ober, das Muster auf der Butter ist heute aber besonders hübsch!" „Nicht wahr? Das habe ich mit meinem Kamm gemacht!"

# Lesen

**1**

**SCHOKOBECHER**
Gemischtes Milcheis, Amarettolikör,
Schlagsahne, Schokoladensplitter
und Schokoladensauce **4.75**

**BANANENSPLIT**
Eine Banane, gemischtes Eis,
Schlagsahne, Eierlikör, Schokoladen-
sauce und Mandelsplitter **4.75**

**LA GONDOLA**
Verschiedene Eissorten, frische Kiwi
und frische Erdbeeren, Schlagsahne
und Kiwisauce **5.25**

**HEISSE LIEBE**
Zartes Vanilleeis übergossen mit
heißen Himbeeren **5.25**

**2**

SPAR MENÜS

Spar Menü mit mittlerer Portion Pommes Frites und mittlerem Getränk
nur € **4,25**

MAXI MENÜS

... Menü mit großer Portion Pommes Frites und großem Ge...
nur € **4,49**

**3**

## Hotel zur Mühle

### Tageskarte
Freitag, 17. November

Als *Vorspeise* empfehlen wir:

| | |
|---|---|
| **Gebratene Austernpilze** in Knoblauchbutter auf marinierten Blattsalaten, dazu Baguette | 8,40 |
| Aus dem Suppentopf: **Tomatensuppe** mit Croutons | 3,20 |
| Zucchinicremesuppe mit Schinkenstreifen | 3,40 |

*Hauptgerichte:*

| | |
|---|---|
| **Bayrischer Krustenbraten** mit Kartoffelknödel und Speckkrautsalat | 8,60 |
| **Halbe Schweinshaxe vom Grill** mit Kartoffelknödel und Speckkrautsalat | 8,90 |
| **Kalbsrahmgulasch mit Lauchzwiebeln**, dazu Brezenknödel* und bunte Salatteller | 11,40 |
| Portion **Kalbsbraten in Steinpilzrahmsoße**, frischem Marktgemüse und Butterspätzle | 12,90 |

| | |
|---|---|
| **Gegrillte Wildschweinkotellets** auf kräftiger Rotwein-Thymianjus mit sautierten Egerlingen, Mandelbroccoli und Schupfnudeln | 14,40 |
| **Kalbsleber „Berliner Art"** Kalbsleberscheiben vom Grill mit Apfelscheiben, Röstspeck und Schmelzzwiebeln, an Kartoffel-sahnepüree | 12,30 |

*Dessert:*

| | |
|---|---|
| **Dampfnudeln** mit Vanillesoße | 3,40 |
| **Vanilleeis** mit heißer Schokolade | 4,20 |

Wir wünschen Ihnen guten Appetit und
ein schönes Wochenende!
Familie Seidl und Mitarbeiter

* Knödel = Kloß

a) Was passt: Restaurant, Fastfood, Eiscafé?
b) Wo gibt es Suppe, Eis, Pommes frites?
c) Lies die drei Karten genau. Welche Speisen findest du auch auf Seite 131?

## Lernwortschatz

**Essen und Trinken in Deutschland:**

| | | | |
|---|---|---|---|
| der Honig | das Ei | die Wurst | der Orangensaft |
| der Käse | das Müsli | die Brezel | der Tee |
| der Fisch | das Wurstbrot | die Marmelade | der Kaffee |
| der Eintopf | das Käsebrot | die Butter | der Apfelsaft |
| der Schweinebraten | das Schnitzel | die Erbse | |
| der Kartoffelsalat | das Sauerkraut | die Nudel | das Mineralwasser |
| der Spinat | das Gemüse | die Bohne | das Bier |
| der Salat | das Würstchen | die Currywurst | |
| der Reis | | die Tomate | die Limo(nade) |
| der Knödel/Kloß | | die Kartoffel | |
| das Brot | | die Suppe | |
| | | die Frikadelle | |

**Die deutschen Mahlzeiten**

das Frühstück            das Mittagessen            das Abendessen

## Grammatik

### 1. Verb

Präteritum von *sein* und *haben*

| | sein | haben |
|---|---|---|
| ich | war | hatte |
| du | war st | hatte st |
| er/es/sie | war | hatte |
| wir | war en | hatte n |
| ihr | war t | hatte t |
| sie/Sie | war en | hatte n |

### 2. Dativ

a) Nomen

| Singular | | | | | Plural | |
|---|---|---|---|---|---|---|
| Maskulinum | | Neutrum | | Femininum | | |
| dem | Opa | dem | Mädchen | der | Oma | den | Großeltern |
| meinem | Vater | meinem | Kind | meiner | Mutter | meinen | Eltern |
| einem | Freund | einem | Mädchen | einer | Freundin | – | Freunden |
| keinem | Freund | keinem | Mädchen | keiner | Freundin | keinen | Freunden |

b) Personalpronomen (Singular)

Ich mag Pizza.      Pizza schmeckt mir.
Du magst Fisch.     Fisch schmeckt dir.

# Wörterverzeichnis

Angegeben ist die Seite, auf der das Wort zum ersten Mal vorkommt.
Die schräg gesetzten Wörter gehören nicht zum Lernwortschatz